MON VOYAGE DE PÊCHE

Jean-Marie Lapointe

MON VOYAGE DE PÊCHE

UNE ÉDITION DU CLUB QUÉBEC LOISIRS INC.

Dépôt légal — Bibliothèque nationale du Québec, 2000
ISBN 2-89430-420-X
(publié précédemment sous ISBN 2-7604-0682-2)

Imprimé au Canada

Maryse,

ma *p'tite* grande sœur,
ma complice, mon âme-plume,
merci pour tout!
Comme maman serait fière
de nous...

À mon père.

À Michel Chamberland
et à son fils David,
décédé trop tôt.

Enfin,
à tous les parents,
à tous les enfants, qui se sont
perdus en chemin et qui
aimeraient se retrouver.

PROLOGUE

Samedi soir. Je suis fatigué, ma blonde aussi. Nous sommes dans le «garage-salle de lavage» de notre première maison. Ça fait des mois que nous la rénovons, la bardassons, la tournons à l'envers, à l'endroit; que nous passons notre temps à chercher nos deux minous terrés chaque fois dans un nouveau recoin; que nous campons dans le sous-sol et mangeons des saucisses tièdes au tofu avec de la moutarde biologique...

Accoté contre la sécheuse, je regarde ma petite Josée et je n'en reviens toujours pas d'avoir rencontré cette fille-là. Cette belle fille droite et sincère, drôle comme un singe, équilibrée, généreuse, prête à participer à toutes mes folies, forte et délicate, déterminée et parfois fragile. Et ce qui m'étonne par-dessus tout, c'est qu'elle m'ait choisi, moi. Qu'elle m'ait accepté avec mes défauts, mes qualités, mes insécurités, mon impatience et mes niaiseries de gamin. Je suis l'homme le plus chanceux de la planète.

Le destin fait bien les choses... Il y a quelques années, je n'aurais pas été prêt à entreprendre une relation avec une fille comme Josée. Je n'aurais pas su l'estimer à sa juste valeur, admirer sa sérénité ou accepter ses petites manies qui me font si souvent rigoler. Je n'aurais pas été prêt à me stabiliser, à envisager de passer le reste de ma vie avec la même femme, de me marier et de prendre le temps de bâtir un avenir avec elle. Si je me retrouve ce samedi soir à placoter avec elle au lieu de sortir avec des copains, c'est grâce à quoi? Comment se fait-il que je sois aujourd'hui capable d'apprécier ces moments de joie toute simple? Que je n'aie plus l'impression qu'il me manque profondément quelque chose d'essentiel?

Il y a elle, bien sûr. Ma Josée, ma *Fouf*. Mais ce n'est pas tout: il y a en moi un calme, une paix, inconstante parfois mais qui fait son chemin. C'est ça, je suis de plus en plus en paix avec moi-même. Avec mon entourage, mes amis, mes sœurs, mes collègues de travail. En paix avec le souvenir de ma mère. Et surtout, en paix avec mon père.

Des brassées de lavage nous attendent... Je devrais m'y mettre, mais ça ne me tente pas. J'ai envie de parler à Josée du voyage de pêche que j'ai fait avec mon père il y a quelque temps. Un voyage entre un père et son fils, entre deux hommes, entre deux p'tits gars...

J'ai envie de lui parler des insécurités de mon père, de son impression d'avoir réussi dans la vie mais d'avoir peut-être raté sa vie. De sa peur de ne pas avoir été assez présent auprès de sa famille et de son seul fils. J'ai envie de raconter les moments que j'ai passés avec lui et qui sont parmi les meilleurs souvenirs que je garde de mon enfance: nos périples en voiture d'une ville à l'autre lorsqu'il m'emmenait en tournée avec lui; les arrêts presque obligatoires à *Blue Bonnets*; nos conversations sur l'école, le sport, la musique, le sexe, le cinéma; la première fois que j'ai fait un *par* au golf, et qu'il en était si fier qu'il sautait partout sur le terrain en se moquant complètement de l'«éthique» du golfeur; la première fois qu'il m'a permis de conduire sa précieuse Mercedes; la première fois qu'il m'a vu sur scène...

J'ai aussi envie de confier à Josée mes propres craintes lorsque je voyais mon père soûl ou déprimé; mes excès liés à l'impression de ne pas être à la hauteur de ses attentes; mes fuites à sensations fortes; mes besoins d'attention et d'amour inconditionnel; ma peur de boire de l'alcool...

J'ai envie de dire l'immense héritage d'amour, d'éclats de rire, de tendresse que mon père m'a laissé.

Josée me regarde quelques secondes, silencieuse. Puis, elle va chercher quelques coussins, les installe à côté de la laveuse, s'assoit, s'enroule comme un petit chat dans une couverture de laine et me dit, avec un sourire:

– Je t'écoute, Jean-Marie...

CHAPITRE 1

Si tu arrives avec des gants de boxe devant une situation ou une personne, attends-toi à recevoir une claque sur la gueule.

Papa

– Bon! Ma valise ferme pas encore... Comment ça s'fait? Pourtant, j'suis sûr qu'y a rien de superflu dedans. Et papa qui est à'veille d'arriver... Josée! Viens m'aider!

J'ai toujours eu la manie de bourrer mes valises ou mes sacs d'école de toutes sortes de bricoles, de bidules, de vêtements en double, de patentes à gosse, au cas où... Où quoi? Je n'en sais rien. Quand j'étais petit et que toute la famille était rassemblée pour le souper du dimanche soir, on jouait souvent à «J'ai dans ma valise»; à tour de rôle, chacun de nous ajoutait un objet dans une valise imaginaire, tout en essayant de se rappeler ce que les autres y avaient mis: «J'ai dans ma valise une fève verte, un hélicoptère, une oreille, un cure-dents, une blague de *Newfie*, une pieuvre à vingt-quatre tentacules mauves», etc. Je ne gagnais jamais à ce jeu de mémoire parce qu'au lieu d'apprendre par cœur l'énumération loufoque, j'imaginais le genre de bonhomme débile qui traînait avec lui une valise débordant de longues tentacules... Après le souper, comme j'étais pensionnaire, je préparais ma valise pour le lendemain et chaque fois, maman la vidait de moitié, me faisant remarquer que je n'avais absolument pas besoin d'emporter: une fève verte, un hélicoptère, une oreille, etc.

– Josée! Ça fait trois fois que je refais ma valise et elle est toujours aussi pleine!

– Voyons, Jean-Marie, tu t'en vas à la pêche pour deux jours, pas pour deux semaines! Tu vas faire deux dodos! Et veux-tu bien me dire pourquoi t'apportes un jeu de *backgammon*?

– Ben, au cas où papa s'ennuierait...

– Vous allez vous amuser comme des p'tits fous et de toute façon, j'suis certaine que vous manquerez pas de sujets de conversation...

Je l'espère, parce qu'il n'y a ni télévision ni ordinateur ni téléphone dans le chalet que nous avons loué. Et quand mon père tourne en rond, «L'hiver va être *bennnnn* long!», comme il dit. Je ne veux surtout pas qu'il aille s'isoler de son bord parce qu'il ne sait plus quoi faire ou quoi dire. C'est la première fois que nous nous retrouvons seuls pendant quelques jours et j'ai bien l'intention de profiter de chaque minute en sa compagnie.

Ce matin, avant de quitter le Théâtre Saint-Denis où nous enregistrons notre émission de télévision *Les fils à papa*, Érick Rémy, mon co-animateur et bon copain, m'a souhaité de passer une belle fin de semaine puis, il a rajouté: «Jean-Marie, tu t'en vas te bâtir de beaux souvenirs...». J'en suis conscient et je me considère chanceux de pouvoir le faire. Combien de personnes regrettent de ne pas avoir profité de la présence de leurs parents, de ne pas leur avoir dit qu'ils les aimaient? Josée me raconte souvent les voyages qu'elle a faits avec les siens, leurs éclats de rire, leur complicité, leur plaisir d'être ensemble; les paysages qu'ils ont admirés, les auberges charmantes qu'ils ont dénichées, les petites routes de campagne qu'ils ont pris le temps de découvrir, les gens avec qui ils ont échangé directions, recettes de cuisine ou un simple bonjour. Je n'ai pas de tels souvenirs, du moins, pas depuis que je suis adulte. Gamin, mes parents allaient me reconduire au camp de vacances ou bien j'accompagnais papa en tournée, mais un vrai voyage en famille, je n'en ai jamais fait. À l'âge de vingt-deux ans, je suis parti vivre de mon côté, ma mère est décédée quatre ans plus tard et durant des années, je n'ai presque pas eu de contact avec mon père. Trop de colère, de rancœur, de culpabilité. Mais depuis un an, nous nous réapprivoisons petit à petit.

Il nous arrive de vivre des expériences uniques sans savoir qu'elles prendront une importance primordiale dans notre vie. *Le Téléthon Jean Lapointe* d'avril 98 est, pour moi, une de ces expériences.

D'abord, c'était le dernier téléthon que nous devions faire, sans le savoir à ce moment-là. Ensuite, c'est le seul que j'ai coanimé avec mon père du début à la fin. Enfin, le plaisir que nous avons eu tout au long de cette journée a déclenché en moi le désir de retrouver la complicité qui nous liait il y a plusieurs années. Ce téléthon a été un cadeau de la vie.

Marcel Lefebvre, concepteur du téléthon et vieux complice de mon père, avec qui il a écrit plusieurs de ses chansons, et Guy Nadeau, président de la *Fondation Jean Lapointe*, m'avaient demandé, en décembre, si j'étais intéressé à coanimer avec papa. Avec cinq téléthons derrière moi, je m'en sentais capable. J'avais donc accepté d'emblée. Depuis un an à peu près, j'avais amorcé un processus de réconciliation avec lui. Je commençais à comprendre, à accepter le passé et à pardonner; je me sentais de mieux en mieux dans ma peau, face à moi-même et face aux autres, face à mon père en particulier.

Papa m'a fait le plus beau cadeau qu'un père puisse faire à son fils: il m'a fait totalement confiance. Il pouvait se produire le pire pépin, papa s'appuyait sur mes capacités d'animateur, d'improvisateur, de patineur ou d'acrobate... Parfois, il me demandait de présenter tel ou tel invité parce qu'il était fatigué ou qu'il ne savait pas vraiment quoi dire. J'étais sa police d'assurance, son parachute, son bâton de vieillesse, sa porte de sortie, son calmant, son stimulant, son coanimateur, son chum. Ça aurait pu être lourd à porter, mais au contraire, j'avais du plaisir; papa me racontait des blagues durant les pauses, on déconnait sans arrêt. Papa n'a jamais aimé animer le téléthon et s'est toujours senti embarrassé qu'on lui en attribue la réussite. Il ne se considère pas très bon animateur, il déteste le direct à la télévision, il HAÏT quêter et, émotif comme il est, la pression d'amasser de l'argent pour une cause qui lui tient à cœur, d'atteindre un objectif financier précis, l'a toujours angoissé. M'avoir à ses côtés toute la journée lui avait enlevé une partie de ce poids. Non pas qu'il prenait ce téléthon à la légère mais il avait décidé – en fait, *nous* avions décidé – d'avoir du fun, point. Et c'est ce qui s'est passé.

La complicité, la confiance entre papa et moi étaient palpables. En plus, nous avions tous les deux préparé un petit numéro de jazz à deux pianos. Il m'avait demandé si j'avais envie de faire quelque chose avec les jeunes du *Centre Jean Lapointe* et nous avions décidé de leur faire chanter *Quand les hommes vivront d'amour* de Raymond Lévesque, chanson reprise par Luce Dufault et qu'on entendait souvent à la radio. Ayant fait du bénévolat auprès des jeunes du Centre, je savais que ça les stimulerait, que ça leur donnerait un but et qu'ils en seraient fiers. Les jeunes ont répété la chanson durant des semaines. Ils étaient prêts. Et quel ne fut pas leur bonheur, lors de la générale, de voir Luce Dufault les rejoindre sur scène et chanter la finale avec eux! Le jour du téléthon, ils étaient excités, crinqués à bloc et heureux de chanter avec Luce. Un beau moment pour les jeunes!

Mais Marcel tenait toujours à ce que je fasse un petit quelque chose sur scène. Je n'avais absolument pas envie de chanter, je l'avais fait quelques années auparavant et ça m'avait suffi... Au public aussi! J'avais chanté *Le petit ange*, chanson que papa avait écrite pour maman et sa nouvelle femme Cécile, cet ange venu le consoler de la perte du grand amour de sa vie. Même si papa était venu me seconder vocalement (j'en avais besoin...), je ne gardais pas un très bon souvenir de l'expérience. Marcel et moi avions eu l'idée de reprendre un numéro présenté un an plus tôt à *La fête à Jean Lapointe*. Papa et moi avions interprété le *Blue Rondo à la Turk* de Dave Brubeck, cet artiste qui, au fil des ans, était devenu une sorte de symbole de complicité, d'amitié entre nous. Je lui en avais parlé et il avait été emballé par l'idée.

J'étais nerveux, évidemment. Avec les musiciens du téléthon, j'avais pratiqué et pratiqué le morceau à me donner des crampes aux articulations. J'avais peur de m'enfarger dans les notes, de faire rater le numéro, de décevoir papa qui, lui, ne s'en faisait pas trop, en vieux pro qu'il est.

Notre numéro est donc prévu pour le début de la soirée. Chimie, magie, complicité sont au rendez-vous. Les échanges de regards entre deux accords, le dialogue entre les deux pianos, les deux profils battant la mesure, nos sourires... Ça se passe bien, on a du plaisir, le public apprécie de voir père et fils Lapointe *jazzer* sur scène. Le spectacle continue, l'argent ne rentre pas comme on l'espère, mais nous sommes conscients que les gens ne peuvent pas donner ce qu'ils n'ont pas. Nous nous sommes fixés un objectif principal: sensibiliser le public aux problèmes de l'alcool et de la toxicomanie. Et nous faisons du bon travail. Mais ce qui frappe, c'est la facilité avec laquelle papa et moi animons la soirée, notre entente, notre plaisir évident. À tel point que, vers 23 heures, Marcel vient nous voir pendant une pause commerciale et nous demande si on a envie de refaire notre numéro musical. On se regarde, papa et moi, et comme deux p'tits gars tannants, on accepte de jouer encore. Car c'est un jeu, comme lorsqu'on se lançait la balle au baseball, qu'on jouait au ping-pong, qu'on frappait des balles de golf côte à côte et qu'on les regardait s'envoler dans les airs. Et, autant j'étais nerveux la première fois qu'on avait joué notre Brubeck, autant j'ai hâte de refaire le numéro, me défouler, me lâcher lousse, jouer avec papa et me laisser emporter par la musique. Et papa et moi, on *blowe*, on *bluese*, on délire comme on ne l'a jamais fait! Je décolle complètement, je tripe, j'ai l'impression de jouer du piano en parachute, je ris... et papa me regarde, s'esclaffant lui aussi. À la fin du numéro, on se serre l'un contre l'autre et je lui glisse à l'oreille: «Merci papa. Merci de m'avoir laissé animer le téléthon avec toi. Merci pour Brubeck, merci de m'avoir fait confiance.»

Après ce dernier téléthon, je suis heureux, soulagé, fier et agréablement étonné de la complicité qui s'est manifestée entre papa et moi. Je n'arrête pas d'en parler à Josée, à tel point qu'un soir, elle me fait remarquer que ma façon de parler de mon père a changé, que la vision que j'avais de ma relation avec lui semble moins lourde. Pendant des années, j'avais accumulé de l'agressivité envers lui, de la déception, de l'amertume, de l'incompréhension; j'avais même écrit une liste de reproches à lui faire, une liste d'événements, de phrases, de réactions qui m'avaient blessé. Avec le temps, mon ressentiment s'était un peu estompé, mais il me restait encore «quelques crottes sur le cœur»... En discutant avec Josée, je réalise que le temps est peut-être venu d'avoir enfin une bonne conversation avec mon père. Le téléthon nous a rapprochés et j'ai l'intuition que c'est le bon moment, qu'une occasion comme celle-ci ne se représentera peut-être pas de sitôt.

Donc, j'appelle papa.

– Salut p'pa! Ça va bien?

– Oui, pas pire...

– Écoute, j'aimerais ça qu'on se parle...

– Qu'on se parle?

– Oui, qu'on se parle, toi pis moi. J'ai des choses à te dire...

– Euh... Ah oui?...

– Oui, tu sais, une petite conversation père-fils...

Je le sens un brin nerveux mais, étonnamment, il ne repousse pas ma suggestion. «Étonnamment», parce que papa s'arrange souvent pour éviter ce genre de «discussions qui vont virer à l'explication qui va me faire pleurer ou culpabiliser ou enrager, parce que j'ai peur des confrontations et que je ne sais jamais qu'est-ce que mes enfants vont me sortir et que j'aime mieux regarder mon match de baseball ou aller jouer au golf plutôt que d'être bouleversé pendant des jours...». Mon intuition ne me trompe pas: il est de bonne humeur et accepte de me rencontrer le vendredi après-midi suivant.

Le jeudi soir, papa m'appelle pour me demander si Cécile, sa femme, peut assister à notre conversation... Cré papa! Ça fait deux jours qu'il doit se faire du sang de cochon, qu'il doit se demander ce que son fils a à lui dire... Je le devine anxieux, un peu inquiet, comme un petit garçon qui ne sait pas s'il va recevoir une récompense ou une sanction à la remise des prix de fin d'année... Et c'est moi, le professeur... Je lui réponds que je préférerais que nous soyons seuls, entre nous. «OK mon fils, pas de problème...». Je raccroche et j'éclate de rire. C'est quand même drôle, ce renversement des rôles!

Le vendredi après-midi, sur la route des Cantons-de-l'Est, Josée est au volant pendant que je lis et relis mes dix pages de notes, de choses à dire... Elle jette un coup d'œil à mes scribouillages mais ne dit rien.

– Je suis nerveux, Fouf, j'ai peur d'oublier des affaires, de le blesser... J'ai peur de le faire pleurer et de pleurer moi aussi... Tu comprends, je veux pas lui faire de la peine, je veux respecter ce que papa ressent, mais il y a des choses que je veux lui dire...

– Jean-Marie, laisse parler ton cœur et tout va bien aller.

La «voix» de la sagesse... Je regarde passer le paysage quelques minutes, j'admire la campagne, les bourgeons qui commencent à montrer leurs couleurs. Le mont Orford apparaît à l'horizon.

– Tout ce que je sais, Jean-Marie, c'est qu'il faut pas que tu aies des «don'-dû»...

– Des *quoi*?

– Des «don'-dû». Des «j'aurais donc dû»: j'aurais donc dû dire ceci, j'aurais donc dû faire cela... Y a rien de plus plate que des «don'-dû»... Pis, *schnit*! J'aurais donc dû m'apporter une bouteille d'eau, j'ai soif...

Ma petite Josée... Les pieds sur terre, une pointe d'humour pour désamorcer ma nervosité, une tendresse dans le regard... Je me sens mieux. À une quinzaine de minutes de la maison de papa, je l'appelle pour lui dire que j'arrive et je laisse Josée chez un petit antiquaire où sa sœur et son beau-frère l'attendent. Après ma rencontre avec mon père, je dois la reprendre au même endroit (elle pourrait passer deux jours à fouiller dans des fatras, des brocantes et des vieux coffres sans s'apercevoir du temps qui passe). Elle m'embrasse avant que je reprenne la route et me chuchote à l'oreille:

– Ça va bien aller, Jean-Marie, inquiète-toi pas. Prends ton temps et... profites-en! Apprécie ces quelques heures avec ton père. Je vais penser à toi tout l'après-midi.

Devant la porte du condo où papa habite, je prends une grande respiration, je sonne et ouvre la porte. Je m'attends à le retrouver évaché devant la télé en train de pitonner d'un poste à l'autre... Mais non! Il est assis à la table à dîner et m'attend, un sourire figé sur le visage, un sourire tendu, inquiet, mais confiant malgré tout. Il devine bien que je ne m'amène pas avec une brique et un fanal pour l'assommer mais, comme il craint les échanges émotifs, il ne sait pas sur quel pied danser. Il m'accueille, me fait l'accolade et on placote de tout et de rien quelques instants. Cécile rôde dans les parages... Après un «small talk» de circonstances, papa se lance, un peu nerveux.

– Bon, tu voulais me parler?

– Oui, papa.

– Bon, ben O.K. On fait ça où? Euh... ça te dérange-tu si Cécile reste avec nous?

Pauvre papa! Il ne sait tellement pas à quoi s'attendre qu'il a besoin de Cécile à ses côtés... Comme un p'tit gars avec sa maman devant le directeur de l'école...

– Ben non, papa, je te l'ai dit: je veux qu'on se parle entre nous...

– Ouais, ouais... Bon ben, viens dans mon bureau.

– Jean-Marie! Viens dans mon bureau!

J'avais neuf ans. Et je savais que papa allait me chicaner...

J'ai reçu quelques fessées dans ma vie. Des petites tapes et des plus grosses, proportionnelles aux bêtises que je faisais. Mon père prétend ne pas se souvenir de chacune d'elles; en tout cas, moi, je m'en rappelle! Mes fesses bourdonnaient pendant des heures... Je trouvais très humiliant de devoir baisser mon pantalon et d'attendre la claque. Mais j'étais surtout humilié de m'être fait attraper... Et que papa l'apprenne, alors là! En plus de le mettre en colère, je savais que je le décevais, que je n'étais plus son gentil petit Jean-Marie... Déjà qu'il n'était pas si souvent à la maison, il devait, à son retour, apprendre que son fils avait encore fait une niaiserie... Pourtant, il me racontait parfois les sottises qu'il avait lui-même faites lorsqu'il était gamin. Et on riait tous les deux. Mais faut croire que les miennes n'étaient pas aussi drôles...

– Jean-Marie! Viens dans mon bureau!

Dans l'horrible bureau orange, du tapis mur-à-mur, *vraiment* mur-à-mur, il y en avait partout! C'était du dernier chic dans les années 70, l'orange piqueté de jaune et de rouge, la porte blanche en simili plastique ornée d'une sorte de relief abstrait à gogo et les meubles assortis... Lorsque je repense à ce bureau, j'ai envie de rire tellement c'était laid. Mais ce jour-là, je n'avais vraiment pas envie de rigoler. Je m'étais fait prendre à mentir...

Mon ami d'enfance Martin Leduc et moi aimions jouer aux petites quilles le samedi après-midi. Généralement, papa nous donnait assez d'argent pour qu'on puisse s'amuser quelques heures mais, ce samedi-là, soit qu'il n'avait pas beaucoup de monnaie dans ses poches, soit qu'il était dans la lune, soit que je n'avais pas été un bon garçon les jours précédents, bref, il nous avait donné tout juste assez d'argent pour jouer une seule partie. J'étais déçu, mais je n'avais pas osé en demander plus.

En route vers le salon de quilles, Martin et moi avions décidé que ça ne valait pas la peine de se déplacer pour une seule partie et que cet argent serait mieux investi dans une autre activité... Mais laquelle? En passant devant le petit dépanneur à côté du salon de quilles, nous avions aperçu dans la vitrine des tablettes de chocolat. Ah ben, voilà! On allait se bourrer la fraise de chocolat! Quand on a neuf ans, il n'y a pas grand chose de plus excitant que de bouffer des *Crunchie*, des *Cherry Blossom* ou des *Oh Henry!* en quantité industrielle pendant des heures...

En revenant à la maison, pendant notre marche *digestive*, on s'était entendus sur l'histoire qu'on allait raconter à nos parents, si jamais ils nous posaient des questions. On s'était un peu chicanés sur le résultat de la partie – «C'est moi qui a gagné! Non, c'est moi, j'suis meilleur! Non, c'est moi!» –, mais après une rude négociation, j'avais accordé la victoire à Martin, en échange d'une *Caramilk Jumbo*... À peine étions-nous entrés que papa s'était pointé devant nous.

– Pis, les gars? Vous avez eu du fun?

– Oh oui, papa! T'aurais dû voir Martin, il faisait des abats à tous les coups pis il m'a battu à plate couture! On aurait dit Guy Lafleur aux Olympiques des quilles!

J'en mettais, j'en rajoutais: Martin mesurait six pieds huit pouces, il avait des bras comme ceux de *Popeye* et il abattait 24 quilles d'un coup! Mon orgueil en prenait pour son rhume, mais c'était le prix à payer pour un dernier morceau de chocolat au caramel...

– Ah bon? Ben quand Martin sera parti, tu viendras me voir dans mon bureau...

Oups! Je connaissais ce ton-là... Martin aussi! Pourtant, notre histoire était bonne jusque dans ses moindres détails, on ne s'était pas contredits et on avait bien vérifié qu'il ne restait aucune trace de notre forfait sur nos mains ou nos dents. J'avais eu beau insister pour que Martin reste chez nous à souper, à coucher, à déménager dans ma chambre, il s'était sauvé à toute vitesse, m'abandonnant à un sort qu'il devinait peu enviable. Tu parles d'un ami! Piteux, j'étais allé rejoindre mon père dans son bureau. Il était assis au piano et travaillait à une chanson.

– Comme ça, Martin t'a battu aux quilles...

– Oui, papa.

– T'es sûr?

– Euh... oui, papa.

– T'es vraiment *sûr* que Martin et toi, vous êtes allés jouer aux quilles et qu'il t'a battu?

– Euh... (Gulp!) Ben oui, papa.

– J'ai téléphoné au salon de quilles, pis le monsieur m'a dit qu'il ne vous avait pas vus de la journée...

– Ben... Peut-être qu'il s'est trompé ou qu'il nous a pas remarqués?

– Jean-Marie, arrête de mentir! Quand je t'ai donné l'argent tantôt, j'ai ben vu que ça faisait pas ton affaire. Qu'est-ce que t'as fait avec l'argent? Qu'est-ce que vous avez fait tout l'après-midi, Martin et toi?

Sa grosse voix... Ses gros yeux... J'avais craqué et lui avais avoué qu'on avait dépensé tout l'argent pour des tablettes de chocolat qui commençaient d'ailleurs à me barbouiller l'estomac.

– Jean-Marie! Baisse tes culottes!

Honteux, je m'étais exécuté, connaissant ce rituel par cœur. En humour, il existe une règle de trois: deux lignes/un *punch*. Papa a toujours appliqué cette règle de trois et ce, jusque dans les moindres détails de sa vie. Son sens du *timing* ne le quitte jamais. Alors, j'avais reçu, évidemment, deux claques pas trop pire et une dernière bien sentie! Je relevais mon pantalon et je m'apprêtais à sortir du bureau lorsque papa m'avait dit d'une voix triste:

– Tu sais, Jean-Marie, ça me fait plus mal à moi qu'à toi de te donner une fessée.

«Oh yeah?», que je m'étais dit... Me semble, oui... Je m'étais enfermé dans ma chambre, ruminant ma colère et ma rancœur: «Si ça lui fait si mal que ça, pourquoi qu'il me donne une fessée, d'abord? Il dit qu'il m'aime et ensuite, il me dit: "Baisse tes culottes!" Ça marche pas, son affaire...»

Chaque fois que j'étais puni, je boudais quelques heures, puis j'oubliais la fessée, la rancune, le bureau orange, et je retournais jouer avec mes sœurs. Le lendemain matin, en me croisant dans la cuisine, papa m'avait retenu et m'avait demandé, un peu piteux:

– M'en veux-tu encore pour la fessée d'hier?

Ce n'était pas la première fois qu'il me posait cette question après m'avoir réprimandé et j'avais l'habitude de lui répondre que non, je ne lui en voulais pas, sans très bien comprendre ce que voulait dire «en vouloir» à quelqu'un. Mais, cette fois-là, j'avais eu envie de me venger et je lui avais lancé un gros «Oui!» en pleine face. Étonné, il m'avait regardé quelques secondes, ses yeux s'étaient embués de larmes, puis il m'avait laissé partir. J'étais épaté par sa réaction. Si j'avais su, il y a belle lurette que je lui aurais donné cette réponse car, à le voir se sentir si coupable, j'étais convaincu que je ne recevrais plus jamais de fessée de ma vie. Yes sir!

Les jours suivants, à quelques reprises, papa m'avait reposé la même question: «M'en veux-tu encore, Jean-Marie?». Et chaque fois, je répondais «Oui!», puis je le laissais en plan pour aller jouer. Je voyais bien qu'il était triste mais tant pis pour lui, il n'avait qu'à ne pas me donner de fessée. Ça lui apprendrait! Mais je commençais à me sentir coupable. J'essayais de ne pas trop penser à son air penaud, mais je n'y parvenais pas. J'appréciais le pouvoir que j'avais sur lui, mais c'était à cause de moi qu'il avait de la peine, même si c'était sa faute... Et je ne voulais plus qu'il ait du chagrin. Alors, le jeudi matin, quand papa m'avait encore demandé si je lui en voulais, je l'avais regardé quelques secondes et je lui avais répondu: «Non, papa». Un grand sourire avait éclairé son visage, il m'avait serré dans ses bras et m'avait dit: «Merci Jean-Marie». Et dans ma petite tête, j'avais pensé: «De rien, papa, mais... recommence plus!»

Et je n'ai plus jamais reçu de fessée!

Comme toujours, le bureau de mon père est en désordre. Mais, au moins, il n'est pas orange... Son ordinateur est dans un coin, dissimulé dans un bric-à-brac de piles de papiers, de bouquins, de lettres, de cahiers de timbres qui s'amoncellent sur une table; toutes sortes de tableaux, de photos, d'affiches recouvrent les murs; un magnifique bordel qui met en valeur l'organisation du coin de Cécile... Papa est assis à son bureau; je me tiens debout, face à lui, à contre-jour devant la fenêtre.

La première syllabe, le premier son, Dieu! qu'il est dur à sortir... Papa arbore toujours son sourire un peu crispé et attend que je commence. Que je dise quelque chose. Et je ne sais pas par quoi commencer. Il y a tant de choses, tant d'émotions, tant de bons et de mauvais souvenirs... Et, tout d'un coup, je m'élance:

– Merci, papa. Merci encore pour le téléthon.

Un haussement de sourcils étonné. Son sourire se détend un peu.

– Merci, pis... je te demande pardon.

À lui voir l'air ahuri, ce n'est pas du tout ce à quoi il s'attendait... Moi non plus, d'ailleurs. C'est sorti tout seul et j'en suis le premier étonné. Ce n'est ni mon ressentiment, ni mon agressivité ou ma peine que j'ai envie de lui raconter, mais mon amour pour lui. Et je parle sans arrêt. Pendant plus d'une heure, je m'excuse d'avoir été en colère contre lui, d'avoir dit parfois des méchancetés que je regrette aujourd'hui, d'avoir été un mauvais fils, de l'avoir ignoré quand il aurait peut-être eu besoin que je sois là, d'avoir repoussé les perches qu'il me tendait pour se rapprocher de moi; de m'être éloigné de lui pendant que maman était malade. Je m'excuse de ne pas être allé le voir en Europe pendant qu'il donnait ses spectacles, parce que je lui en voulais de ne pas s'occuper de maman et de ne penser qu'à lui, sans comprendre alors qu'il fuyait une réalité trop difficile à affronter. Je lui raconte mon ressentiment après la mort de maman, ma colère, ma douleur. Mes émotions, si longtemps contenues, déboulent comme un torrent libéré par l'ouverture d'une écluse. Je n'arrête pas de pleurer. Je lui dis aussi que les beaux moments comme ceux qu'on a passés ensemble au téléthon n'arrivent pas pour rien, qu'ils se produisent toujours au bon moment. Je le remercie de sa présence, de m'avoir tant donné, de m'avoir permis de bénéficier de son héritage émotif et culturel de son vivant.

Papa ne me coupe pas la parole: il écoute. Il reçoit cette confession dépouillée de l'amertume qui m'a si longtemps habité. J'ai fait de la peine à mon père mais il ne m'en a pas voulu. Ou si peu. Parce qu'il comprenait...

Je me sens si soulagé... La culpabilité d'avoir blessé mon père s'évanouit dans ses bras. Tout doucement, papa répond à mon chagrin par une immense tendresse. Peu à peu, je m'apaise et des souvenirs un peu plus heureux remplacent les mauvais. Nous parlons de mon enfance, nous rions des mauvais coups que je pouvais faire – des siens aussi! –, nous retrouvons la complicité qui nous unissait autrefois. Le temps a filé, il est sept heures et papa ne veut pas que je parte, qu'on se sépare; il m'invite à souper. Nous sortons du bureau; Cécile, un peu anxieuse, nous jette un coup d'œil et comprend immédiatement que tout s'est bien passé. J'appelle Josée sur son cellulaire et elle nous rejoint quelques minutes plus tard. Cécile prépare une bonne petite bouffe et, tous les quatre, nous passons une superbe soirée, attablés dans la salle à dîner, à placoter de tout et de rien. Papa et Cécile nous invitent à dormir dans la chambre d'amis.

Vers neuf heures, papa se lève, nous embrasse avec beaucoup de chaleur et va se coucher; Josée et moi restons au salon avec Cécile. Cécile, la grande amie de ma mère, une des seules, avec tante Jacqueline, à être demeurée près d'elle jusqu'à sa mort; Cécile, la troisième femme de papa, que nous avons accueillie à bras ouverts. Elle me parle de ma mère, de leur amitié, de la douleur qu'elle a ressentie à sa mort. Elle nous révèle que le jour où elle est allée reconduire maman à l'aéroport, où je l'attendais pour l'amener à la clinique de désintoxication *Betty Ford* en Californie, a été un des pires moments de sa vie. Maman pleurait dans l'auto, ne voulait pas prendre l'avion, buvait sans arrêt pour noyer sa peur. Et Cécile aussi avait peur, avait mal, mais elle espérait tellement que maman s'en sorte. Puis, elle se rappelle leurs conversations qui pouvaient durer des heures pendant lesquelles elles riaient comme des folles, échangeaient des recettes de cuisine ou des trucs pour faire pousser les fleurs de leur jardin, partageaient des confidences, des rêves. Cécile ne peut me dire combien de fois maman lui a répété à quel point elle était fière de moi, combien elle m'aimait. Ça me fait chaud au cœur d'entendre Cécile parler de ma mère avec tant d'affection. Je l'écouterais toute la nuit évoquer ces images remplies du rire de maman, de sa force, de sa gentillesse et de ses excentricités...

Le lendemain matin, papa est de bonne humeur; il a enfin passé une bonne nuit... Et il recommence à raconter toutes sortes d'histoires: les magouilles de la mafia qui contrôlait les clubs dans les années 50, ses rencontres avec des peintres qu'il admire, les coups pendables qu'il organisait avec Claude Blanchard pour niaiser monsieur Grimaldi...

Vers quatre heures, Josée et moi faisons signe que nous devons partir car nous recevons des amis en début de soirée.

– Pas déjà!

Deux mots... Deux mots que papa lance du fond du cœur. Deux mots qui résument bien les superbes 24 heures que nous avons passées ensemble. «Pas déjà!» Je crois que je savourerai ces deux mots pour le reste de mes jours.

On se serre très fort, on s'embrasse et on se dit qu'on s'aime. C'est si simple, dans le fond. Quand on est prêt...

Quelques semaines plus tard, repensant aux voyages que faisaient Josée et sa famille, je prends le téléphone.

– Salut p'pa! Ça va?

– Oui, pas pire...

– Papa, qu'est-ce que tu dirais si on partait tous les deux quelque part, n'importe où...

– Quoi?

– Oui, j'ai des sous de côté, pis j'ai envie de t'offrir un voyage, où tu veux...

– Ah, ouais? (À la fois intrigué, enchanté et pourtant sur ses gardes, il enchaîne, hésitant.) C'est ben gentil, Jean-Marie, mais ça peut coûter cher...

– Papa, c'est pas important, j'ai de l'argent. Où est-ce que ça te tenterait d'aller?

– Écoute, tu sais comment j'aime prendre l'avion... Qu'est-ce que tu dirais d'aller à la pêche?

– Wow! Ça, c'est une bonne idée, p'pa!

– J'ai entendu parler d'un *spot* dans l'Outaouais. J'peux me renseigner, si tu veux?

– Non, non, p'pa, j'vais m'en occuper...

– Jean-Marie, laisse-moi faire les téléphones pis les réservations, j'm'occupe de tout. Èye! C'est un beau cadeau que tu m'fais, mon fils...

Ce qui fait qu'en ce vendredi matin 18 septembre 1998, je me bagarre avec ma stupide valise pendant que ma Fouf me regarde en rigolant. Nous sommes aussi énervés l'un que l'autre. Moi, parce que je m'en vais à la pêche avec mon père, elle, parce qu'elle est heureuse pour moi.

Le téléphone sonne. C'est lui. Il s'est encore égaré... Je lui redonne ma nouvelle adresse (nous avons emménagé dans notre nouvelle maison trois mois auparavant) et je l'attends. J'ai réussi à boucler ma valise dans laquelle j'ai tout de même glissé un jeu de cartes, au cas où...

Papa est en pleine forme! Un gros bec sur la joue de Josée, une bonne poignée de main à son fils, un p'tit bonjour aux chats, une visite rapide de la maison... Il est pressé, il a hâte de prendre la route. Alors, après un p'tit au revoir aux chats, une tape dans le dos du fils, un autre gros bec sur la joue de Josée, il s'engouffre dans sa Mercedes et m'attend. Ma Fouf me prend dans ses bras et me serre très fort, en silence. Les mots sont inutiles, elle sait ce que ce voyage représente pour moi. Je l'embrasse et lui murmure: «À dimanche...»

Et voilà, c'est parti! Papa et moi, on s'en va se perdre dans le bois... pour se retrouver!

CHAPITRE 2

Une femme qui rit a déjà une fesse dans ton lit!

Papa

La Mercedes de papa! D'aussi loin que je me souvienne, mon père a toujours conduit ces voitures mi-bibelot dispendieux, mi-char d'assaut. Performance et solidité. Il a déjà eu une vieille Jaguar avant ma naissance et a gagné il y a plusieurs années une Porsche, lors d'un tournoi de *black jack* au casino de Monaco, Porsche qu'il a revendue aussitôt – J'en pleure encore! J'en aurais-tu pogné des filles au volant de ce bolide rouge vif! J'en aurais-tu pogné des tickets de vitesse! – mais il a toujours gardé une loyauté à toute épreuve envers la marque allemande. J'avais 16 ans lorsqu'il m'a permis de prendre pour la première fois le volant de sa précieuse voiture; mon copain François Desjardins était assis à l'arrière et j'avais bien l'intention de l'impressionner. D'autant plus que, puisque j'avais déjà conduit la Rolls-Royce de papa en cachette et sans permis (non mais, fallait être inconscient... et imbécile!), ça allait être une farce que de piloter cette auto. Et, effectivement, ça n'allait pas si mal: j'avais tout de même passé dix ans à observer mon père la conduire. Mais, à quelques rues de la maison, je m'étais mis à penser à l'étroite entrée de garage flanquée d'un jardin de rocailles d'un côté et d'un muret de pierres de l'autre... Trop orgueilleux pour avouer à mon père ma crainte de rentrer dans le mur de droite, *Joe Cool*, je m'étais précipité dans l'entrée, j'avais *swingné* le volant à gauche et... vlan! Direct dans les tulipes de maman! «Voyons le fou, qu'est-ce que tu fais?» avait crié papa, pris entre le fou rire et l'inquiétude de se faire engueuler par ma mère... François, déjà pâle d'avance, aurait pu nous servir de clair de lune tant il était blanc et traumatisé. Inutile de vous dire que mon père ne m'a plus jamais autorisé à reprendre le volant de sa voiture... Il m'a fallu attendre douze autres années pour faire de grandes balades débiles dans sa Mercedes et encore, c'est parce que papa était en Floride et qu'il avait oublié de cacher ses clés...

À peine sommes-nous sur la route que papa a faim. Sur le boulevard Décarie, nous croisons le *drive-in l'Orange Julep* et, du coup, je me revois assis avec mes sœurs à l'arrière de la *station-wagon* de maman, m'empiffrant de frites et de hot-dogs pendant que papa nous racontait des blagues... On adorait se rendre à la grosse Orange, c'était une de nos sorties familiales préférées; on faisait des jeux de mots, des imitations, on chantait et même maman, qui n'était pas le genre à sortir des blagues à la Roméo Pérusse, déconnait avec nous.

Mais ce matin, papa a plutôt envie de viande rouge alors nous nous arrêtons dans un petit resto *steakhouse*. La serveuse présente un grand sourire à Jean Lapointe et je retrouve le même sentiment de fierté qui m'animait lorsque j'avais dix ans et que les gens reconnaissaient mon père... Je crois d'ailleurs que ça lui fait plaisir aussi. Bien que sa carrière ne soit plus ce qu'elle était, le public n'a pas oublié à quel point mon père a été une grande vedette des années 70, 80. J'aime observer les regards admiratifs qu'attire papa. Je n'en ai jamais pris ombrage même lorsque, vers l'âge de 20 ans, j'essayais de me faire un prénom. Bien sûr que c'est lourd, d'être le fils de Jean Lapointe, de porter le même nom, de lui ressembler et de vouloir faire carrière comme comédien, musicien ou animateur. J'ai même pensé changer de nom, d'autant plus qu'à partir du secondaire, j'exigeais qu'on m'appelle *Jean* et non Jean-Marie. Papa m'avait alors suggéré de reprendre mon vrai prénom. «De toute façon, dans le milieu, ça va se savoir assez vite que t'es mon fils... Alors, que tu t'appelles Roger Tartempion, ça changera pas grand-chose...»

Les quelques clients assis au comptoir continuent de nous jeter des coups d'œil, probablement amusés et peut-être attendris de voir le père et le fils ensemble, attablés dans un petit restaurant familial.

Le père et le fils ensemble... C'est d'ailleurs parce que j'étais avec mon père que j'ai signé mon premier autographe. Je traînais dans la loge de papa, après un spectacle; une mère et sa fille étaient venues féliciter papa et lui avaient demandé un autographe. Et la fille, quant à faire, m'en avait demandé un aussi. Èye! J'ai 13 ans et je signe un autographe à une jolie fille de mon âge... Je dois être quelqu'un!

Nous reprenons la route pour un trajet de deux heures. Je n'aime pas tellement me laisser conduire. Mais j'ai toujours fait confiance à mon père, malgré ses accidents d'auto dus à l'alcool, malgré sa manière un peu brouillonne de conduire: une main sur le volant, l'autre jonglant avec une tasse de café, un téléphone cellulaire, une cassette audio et une cigarette, évidemment. Pourtant, je n'ai jamais eu peur en voiture avec lui. Du moment qu'il est sobre, c'est un des meilleurs conducteurs que je connaisse.

Durant le voyage, il me raconte des histoires, me fait écouter une de ses nouvelles chansons, me fait découvrir ses derniers coups de cœur musicaux... C'est incroyable! J'ai l'impression de reculer 25 ans en arrière et de retrouver le petit Jean-Marie de huit ans que son père emmenait en tournée avec lui pendant la fin de semaine...

Dieu! que j'étais tannant à l'école! Je détestais rester assis à mon pupitre à regarder les professeurs faire des simagrées devant le tableau noir, à apprendre par cœur des tables de multiplications tout à fait inutiles pour jouer au ballon-chasseur, à rédiger des textes sur les arbres, les oiseaux ou les fleurs qui poussent dans les jardins. Hé! que c'était niaiseux! On me demandait de faire une recherche sur le pin, alors j'écrivais en gros: «Il y a deux sortes de pins»; je dessinais un arbre sur une page et je collais une tranche de pain sur l'autre... («Madame Lapointe?» «Oui, ma sœur?» «Votre fils a peut-être hérité du sens de l'humour de son père, mais dans l'optique d'une éducation rigoureuse, nous vous suggérons de superviser vous-même ses devoirs...») Je ne comprenais absolument pas comment les autres élèves faisaient pour demeurer tranquilles en classe quand il y avait tant de choses plus intéressantes à faire dehors. Parfois, je me demandais si mes camarades n'étaient pas un peu idiots, avec leurs yeux rivés sur la maîtresse, leurs mains bien propres sagement posées sur leur cahier d'exercices. J'avais un petit problème d'attention et des fourmis dans les jambes. Alors, il m'arrivait parfois de grimper sur ma chaise, de sauter d'un pupitre à l'autre jusqu'à la fenêtre et de tirer le store vers le bas pour le regarder s'enrouler à toute vitesse jusqu'en haut. Et comme je ne voyais pas plus loin que le bout de mon nez et que mes parents n'étaient pas à l'horizon, j'en profitais! Les religieuses s'arrachaient le peu de cheveux qu'elles avaient sous leurs perruques ou leurs voiles! Mes parents avaient beau me chicaner, les bonnes sœurs, me mettre en pénitence, je recommençais régulièrement à faire des bêtises. Après trois ans de punitions, de «Monte dans ta chambre!», de desserts passés sous mon nez sans que j'aie le droit d'en manger, mes parents ont décidé de me mettre pensionnaire.

À partir du moment où ma sœur Maryse ne pouvait plus faire mes devoirs à ma place, j'ai commencé à travailler un peu plus. Et comme les pénitences des religieuses étaient encore plus ennuyantes que celles de mes parents, j'ai cessé de maltraiter pupitres, chaises, *stores*, craies et brosses à tableaux. Mais mes résultats scolaires demeuraient assez médiocres et je préférais toujours faire rigoler mes copains au lieu de me concentrer sur les leçons. Jusqu'au jour où papa m'a menacé de ne plus m'emmener avec lui en tournée... J'aurais préféré être privé de gâteaux aux chocolat et cerises pour le reste de mes jours plutôt que de ne plus pouvoir me cacher en coulisses pour observer mon père donner ses spectacles. Et mes parents le savaient très bien...

J'adorais assister aux spectacles de mon père.

Lorsqu'arrivait le vendredi après-midi et que mes amis me demandaient ce que j'allais faire durant la fin de semaine, je répondais fièrement, du haut de mes onze ans: «Je m'en vais en tournée avec mon père!» Ils avaient beau m'inviter à aller au Parc Belmont, à jouer au hockey ou au baseball avec eux, me promettre de me laisser gagner au ping-pong (j'étais très mauvais perdant...), rien à faire: «Je m'en vais en tournée avec mon père!» J'allais passer deux jours avec lui, me promener dans sa voiture pendant des heures, manger des hamburgers, boire du *Coke*, me coucher très tard et surtout, j'allais le voir faire ses numéros, ses imitations, ses chansons, il serait applaudi par des centaines de personnes et je pourrais dire à tout le monde que j'étais son fils!

J'embarque dans la voiture de papa pour l'accompagner en tournée et j'suis tout excité, surtout que je l'ai pas vu de la semaine et qu'il est à la maison une fin de semaine sur trois. Mais là, j'vais l'avoir à moi tout seul pendant deux jours! J'embrasse maman, ma chienne Joséphine, j'embrasse pas mes sœurs (berk! embrasser des filles!), je promets d'être sage, j'attache ma ceinture de sécurité et papa et moi, on est partis! Youpi!

Papa met une cassette dans la radio et me fait découvrir Dave Brubeck, les Mills Brothers, Henri Salvador, Brassens, Ricet Barrier; il me raconte plein d'histoires sur ses débuts au Théâtre Capri ou sur ses aventures avec la mafia du Casa Loma; des fois, on dirait que c'est des westerns avec des bandits qui se tirent dessus! Il parle d'Olivier Guimond, Miles Davis ou Édith Piaf. Je connais pas tous ces gens-là, mais papa a l'air de les admirer énormément, alors ça doit être des artistes importants. De temps en temps, il me demande comment ça va à l'école, si je fais mes devoirs, si sœur Léonie m'apporte toujours des biscuits en cachette le soir, dans le dortoir... Mais là, on est en vacances et on va s'amuser, alors les questions sur l'école, ça dure pas longtemps!

J'aime beaucoup quand il parle de grand-papa Arthur que j'ai jamais connu. Quand j'étais petit, je me faisais appeler Arthur parce que Jean-Marie, c'est un nom de fille! Mais ça mêlait les religieuses... Papa me fait rire quand il me décrit son enfance en Gaspésie, quand il partait à la pêche, sa casquette sur la tête, sa petite canne en équilibre sur son épaule, ou quand il fouillait dans les buissons pour trouver des fraises ou des mûres sauvages... Si j'avais papa comme professeur, j'suis sûr que j'aurais de bien meilleures notes!

On arrive au théâtre et j'vais dire bonjour aux musiciens pendant que papa discute du spectacle avec Bertrand Petit, son régisseur. Toute l'équipe me connaît, de l'accessoiriste aux choristes que je trouve très jolies, surtout Lorraine. Gilles St-Amand Junior me laisse attaquer des solos sur sa batterie, mais ce que j'aime le plus, c'est les claviers pleins de boutons, de pitons, de clignotants. Les claviéristes de papa, François Asselin, Alain Noreau et Daniel Piché, m'ont toujours permis de jouer sur leurs instruments, même si je risquais de les déprogrammer... Quand vient le temps de la prise de son, je me lance sur la scène, je prends le micro dans mes mains et je raconte les dernières blagues que j'ai apprises à l'école. Je donne mon petit spectacle, je fais rire tout le monde et la belle Lorraine pis, papa vient me remplacer pour faire le vrai «*testing one-two*». Alors, j'en profite pour me promener entre les rangées du théâtre, m'asseoir sur les bancs et vérifier s'il y a des gommes collées en-dessous ou d'autres petites affaires dégueulasses... J'écoute les musiciens *jammer* après que papa a terminé les tests de son et d'éclairage, je ferme les yeux, tape du pied la mesure et fais semblant d'être sur la scène avec eux. Je deviens un grand pianiste de jazz acclamé par les foules, j'improvise des mélodies écœurantes, j'enchaîne avec des monologues et des imitations, je salue le public, reviens faire trois ou quatre rappels... Je rêve de faire le tour de toutes les scènes du monde, d'être applaudi en chinois, en russe ou en papou pour le reste de mes jours...

Deux heures avant le spectacle, papa et moi, on va prendre une bouchée et on s'enferme dans la loge. Comme il est une grande vedette, il y a presque toujours sur une table un panier de fruits et de friandises offert par la direction du théâtre. Je me bourre de bonbons, je regarde papa mettre du fond de teint sur son visage et son cou, dessiner sa petite ligne bleue sur le bord de l'œil, maquiller ses deux mains trop pâles à cause des gants de golf – papa est le seul golfeur au monde à jouer avec deux gants. Y est super cool! Souvent, il allume la télévision et on regarde une partie de hockey ou de baseball, ça dépend de la saison. J'en reviens pas comment il est calme. Moi, à sa place, je serais terrorisé de savoir qu'il y a des centaines ou des milliers de personnes qui attendent de me voir arriver sur scène. Lui, non. Il engueule les joueurs du Canadien qui ont raté un but, il placote avec Bertrand, il conte des blagues aux musiciens et à l'équipe qui viennent tous lui souhaiter «Bon show, Jean!» et lui claquer dans les mains un *give me five* bien fort... Je me dis: «C'est un pro, mon père! Il est *number one*!». Jusqu'à ce qu'on se retrouve en coulisses... Alors là, il est nerveux, là, le trac le pogne! Il glisse un coup d'œil dans la salle pleine à craquer, se met à faire les cent pas en silence, fume douze cigarettes, boit du café sans arrêt, prend de grandes respirations pendant que Bertrand, les écouteurs sur les oreilles, donne les dernières recommandations à l'équipe technique. Je m'éloigne un peu pour pas le déconcentrer, surtout que j'suis aussi nerveux que lui... Quand Bertrand dit: «Dans deux minutes, Jean!», papa se retire dans un coin et fait sa prière. Je l'ai jamais vu ne pas faire son signe de croix avant un spectacle. Moi aussi, je fais une petite prière: «Mon Petit Jésus, faites que les gens le trouvent bon!». Après, je regarde le dos de papa s'éloigner vers la scène et ça commence!

Je passe la soirée en coulisses avec Bertrand qui, entre deux *cues*, me fait remarquer les nuances que papa apporte à tel numéro, les pirouettes qu'il improvise lorsqu'il se trompe, son sens du *timing*, sa générosité et la complicité qu'il crée avec le public. Je reconnais les premières notes de *Mon oncle Edmond* et je me mets à chanter avec lui. «Gna gna gna gna, yes why not!» Eh! que la batterie est écœurante là-dedans! Pis ensuite, il fait son imitation d'Elvis. La cape à brillants, la perruque noire avec la couette en avant, les pantalons éléphant et la guitare électrique *rock n' roll*... «One for the money, two for the show...» Là, ça bouge! Papa grouille des hanches, des épaules, se démène comme si un lézard lui chatouillait le dos... Pareil comme il le fait à la maison! Les spectateurs arrêtent pas d'applaudir et... moi aussi!

– Regarde, Jean-Marie, comme ton père est bon ce soir! Là y est en forme... Oups! Il ne sait plus son texte... Ben regarde comment il va s'en sortir...

Ouf! Il s'en sort super bien mais j'ai eu chaud! Tout en ayant un fun fou à regarder son spectacle, j'ai toujours peur qu'il fasse une erreur ou qu'il s'enfarge dans ses phrases ou dans ses souliers, qu'il se trompe de numéro ou que les accessoires ne fonctionnent pas. Quand ça se produit, j'suis pas déçu par mon père: j'suis triste qu'il ait pas pu montrer au public combien il peut être drôle. Le pire numéro, celui qui me rend le plus nerveux, c'est celui du tryptique. Trois micros sont installés à deux pieds de distance environ, au milieu de la scène. À chaque micro, il y a une imitation: au premier, c'est Maurice Chevalier, au deuxième, Bourvil et au troisième, Jacques Brel. Papa se promène de l'un à l'autre, imitant ces trois artistes en chantant *Une valse à mille temps* de Brel. Et ça accélère, cette chanson-là, ça va vite, de plus en plus vite... Des fois, j'ai envie de me cacher les yeux derrière les mains tellement j'ai peur qu'il se trompe, mais ça arrive jamais.

Comme je connais ses spectacles par cœur, je mime les numéros, je fredonne toutes les chansons et je me dis que si jamais papa tombe malade, je pourrais le remplacer sans problème! Ah! là, il s'en vient en coulisse pour changer de costume. «As-tu aimé ma nouvelle blague, Jean-Marie?» «Oui, papa! Fais-en d'autres!» Il repart tout de suite sur scène dans la peau d'un autre personnage, il passe d'un numéro comique à des imitations pis à une chanson triste en un clin d'œil. De le voir s'allumer, s'éteindre, s'allumer, s'éteindre entre chaque numéro, ça m'impressionne comme c'est pas croyable!

C'est fini, le rideau se baisse sur le spectacle et j'attends les rappels. J'suis tellement heureux pour papa de voir que le public en redemande. Premier rappel... Deuxième rappel... Chaque fois qu'il consulte Bertrand pour savoir s'il doit retourner sur scène, je lui dis: «Encore papa, encore!» Troisième rappel... J'suis si fier de regarder mon père saluer les spectateurs debout; ses yeux brillent, son sourire est fendu jusqu'aux oreilles, mon cœur bat aussi fort que les applaudissements. Même de la coulisse, je peux ressentir toute l'admiration qu'il reçoit du public. Papa fait le plus beau métier du monde.

Et quand on se retrouve dans la loge après, papa me demande si j'ai aimé le spectacle, il veut avoir MES commentaires, MON avis à MOI... Wow! c'est pas suffisant que le public l'apprécie, il veut que je sois fier de lui! Et je le suis. Je le suis tellement qu'à chaque personne qui vient le féliciter ou lui demander un autographe dans la loge, je me présente en disant: «Moi, mon nom, c'est Jean-Marie Lapointe et lui, c'est mon père!» Et je pense tout bas dans ma tête: «Vous avez aimé le spectacle, hein? Vous l'aimez mon père, hein? Vous aimeriez ça pouvoir lui parler plus longtemps, hein? Ben, c'est avec MOI qu'il va partir dans 30 minutes, c'est avec MOI qu'il va jaser dans l'auto...»

Quand il a terminé de se démaquiller et de se changer, on va dire «au revoir» aux musiciens et aux techniciens. Papa leur dit qu'ils ont été vraiment bons, il les remercie et leur souhaite de passer une bonne nuit. On termine la soirée ensemble dans la voiture, il me raconte de nouvelles histoires, on écoute un enregistrement du spectacle de Fernand Raynaud qui nous fait mourir de rire même si on le connaît par cœur. Et des fois, j'ai beau essayer de garder les yeux ouverts, je m'endors enroulé dans son manteau de laine qui sent la cigarette *Gitane* et son parfum...

Après maints détours, retours, contours, nous arrivons au camp de pêche. Mon père n'a aucun sens de l'orientation, mais alors là, aucun. Sauf qu'il a une excellente mémoire. Par exemple, il peut se souvenir qu'après telle station d'essence, un petit chemin apparaît sur la gauche et qu'il ne faut pas le prendre. Probablement parce qu'il l'a déjà pris dix ans auparavant et qu'il s'est perdu...

Après avoir oscillé sur une petite route de campagne en pleine réparation, nous garons la voiture devant l'accueil de la pourvoirie Kenauk-La Seigneurie de Montebello. L'atmosphère est chaleureuse, une jeune femme nous reçoit, affable et pimpante, et nous explique les règlements de la place, comment obtenir les permis de pêche, où trouver les équipements, les bateaux, etc. Papa écoute la demoiselle tout en observant les affiches épinglées aux murs, représentant la faune et la flore du Québec. Normalement, la poutine organisatoire, la paperasse, les «patentes à gosse», comme il dit, l'énervent au plus haut point, mais je le sens détendu, relax, et il fait même quelques blagues avec la demoiselle. Il est en vacances et ça paraît.

Pendant que je consulte une carte de la région – nous sommes vraiment dans le bois, à quarante minutes du premier village –, papa rencontre notre guide, Claude Cromp. C'est *le* guide de la place. Lui, y connaît son affaire! Il peut presque nous dire à quelle heure et à quel endroit nous pouvons pêcher notre premier achigan ou notre troisième truite... Je me joins à eux et ça clique immédiatement entre nous trois. Claude a environ mon âge; il est marié, père de famille et c'est un vrai tripeux de la nature. Il nous conduit à notre chalet, à quinze minutes de la réception. Et moi qui m'attendais à voir apparaître «une cabane au Canada» à moitié cachée par des sapins... Papa lui-même n'en revient pas: c'est le grand luxe en pleine forêt! Le chalet est superbe: un plafond de quinze pieds de haut, de grandes fenêtres qui éclairent le salon et le coin repas, un foyer, une jolie cuisinette, quatre chambres, deux salles de bain, une véranda avec vue sur le lac... *Notre* lac, car nous sommes les seuls pêcheurs à y avoir accès. Comme c'est déjà un peu l'automne, le sol commence à se couvrir de feuilles bigarrées, des taches de rouge, de jaune doré et d'orange chatouillent les arbres, on croirait voir une aquarelle du peintre Marc-Aurèle Fortin. C'est splendide!

Mais là, papa a faim. Nous donnons rendez-vous à Claude pour le lendemain matin, nous défaisons rapidement nos valises et partons à l'aventure car c'est quelque chose, faire l'épicerie avec mon père... Complètement débile! Juste à jetter un coup d'œil dans son panier, nos taux de cholestérol et de glucose engorgent nos artères! J'ai l'impression de regarder un gamin qui en profite parce que sa mère n'est pas là: des biscuits, de la crème glacée, des gâteaux *Vachon*, du lait homogénéisé, encore des biscuits, du beurre, du sucre, du café, des bonbons... bref, l'essentiel! Et j'en rajoute! Car qui dit «fin de semaine» dit aussi «repas permissifs»... Normalement, je mange santé. *Très* santé. Le tofu, les graines, le fromage cottage, le thon en conserve, les fèves germées au soya n'ont pas de secrets pour moi (et pas beaucoup de goût non plus). Comme dit ma sœur Maryse, la chose la plus excitante à manger chez nous, c'est les carottes. C'est vous dire... Même si je me sens permissif, j'examine les étiquettes, les ingrédients, etc., ce qui énerve papa qui a hâte de s'installer au chalet, de se détendre et de lire son journal.

– Écoute p'pa, c'est moi qui paye, ça fait que... j'prends mon temps!

Un argument incontestable... Bien que mes papilles gustatives s'excitent à la vue de tous ces desserts, je ne peux m'empêcher de trouver que nos repas ne seront vraiment pas équilibrés...

– Oui, mais p'pa, qu'est ce qu'on va manger?

– Ben, ce qu'y a dans le panier...

– Non mais, comme repas...

– Ben, on va pêcher du poisson...

– Oui, mais mettons qu'on n'en pogne pas?

– Ben, on ira manger au village...

– Oui, mais mettons ... (il ne veut vraiment pas mettre d'aliments intelligents dans le panier d'épicerie hyperglycémique!) Mettons qu'on peut pas aller au village, qu'on a faim à trois heures du matin...

– Bon, bon, bon, ben, qu'est-ce que tu veux manger?

– J'ai pas faim, sœur Léonie, j'ai vraiment pas envie de manger.

J'ai probablement répété cette phrase plusieurs centaines de fois durant mes deux premières années de pensionnat à l'école primaire Mont-Jésus-Marie. J'étais tout simplement *incapable* d'avaler plus de trois ou quatre bouchées par repas. Voir de la nourriture me donnait la nausée. Je mangeais le minimum pour ne pas m'évanouir pendant la journée. Le pire, c'est que j'avais faim entre les repas, mais dès que je me retrouvais au réfectoire, une assiette dans les mains, et que la religieuse me demandait ce que je voulais manger, le cœur me levait. Pourtant, du moment que j'étais de retour à la maison, le vendredi soir, je me gavais tout le long de la fin de semaine, parfois de la même nourriture qu'on m'offrait à l'école. Je me retrouvais avec mes parents, mes sœurs, je me sentais en sécurité et je pouvais enfin manger. Ce furent les premiers signes de mon problème d'anorexie-boulimie.

J'avais neuf ans lorsque mes parents m'avaient annoncé qu'ils me mettaient pensionnaire à l'école et mon univers s'était effondré. J'avais l'impression que ma famille me rejetait, que papa et maman ne m'aimaient plus. Que je n'étais pas le petit Jean-Marie qu'ils avaient espéré que je sois. Mes parents tentaient de me convaincre que j'aurais du fun, que j'aurais plein de petits frères, que je pratiquerais plus de sports, qu'avec la discipline des religieuses, j'aurais de meilleures notes, que je serais moins tannant et que j'apprécierais encore plus mon retour à la maison, mes sœurs, ma chambre, mes jouets. Mais, rien à faire, je me sentais exclu, déraciné, tassé dans un coin. Et, dès mon entrée au pensionnat, j'ai pratiquement cessé de manger. Peut-être par esprit de vengeance, pour attirer l'attention ou pour me punir. Et aussi, parce que ça me donnait l'impression d'avoir le contrôle sur quelque chose...

Mais, consciemment, je n'avais plus faim, c'est tout. Je ne pensais qu'à retrouver ma famille et je me disais: «Jean-Marie, il reste trois dodos, deux dodos, un dodo avant que maman te ramène à la maison.» Et lorsque je voyais ma mère apparaître parmi les autres parents venus chercher leur fils le vendredi après-midi, je me disais que c'étais la plus belle des mamans – tous mes amis étaient d'accord avec moi! –, la plus gentille, la plus fine, qu'en voyant que je l'aimais tellement, elle me garderait à la maison et que je ne serais plus jamais pensionnaire... Mais papa me ramenait au pensionnat le lundi matin suivant, m'embrassait en me disant: «Tu vas être un bon garçon, mon Tit-homme?»; je répondais «Oui papa» et je m'engouffrais dans la grande entrée de l'école, ma petite valise à la main. Et, assis devant mon assiette du dîner, mon estomac se nouait...

Évidemment, mes notes s'en ressentaient. Je me sentais si seul, si désemparé, j'avais souvent faim, je dormais mal, je paniquais devant mes devoirs. Et quand je me retrouvais devant papa, j'avais l'impression de le décevoir, de ne pas être à la hauteur de ses attentes. Il essayait de m'encourager et me conseillait de ne pas m'éparpiller, de prendre une chose à la fois, comme les A.A., de me concentrer sur un devoir jusqu'à ce qu'il soit terminé, puis de passer au suivant, sans m'énerver. Pourtant, de retour à l'école, assis à mon pupitre ou couché dans le grand dortoir, j'oubliais ses conseils, mon esprit vagabondait et je m'ennuyais de ma famille. Mais comme je mangeais pour trois durant la fin de semaine, papa et maman ne se doutaient absolument pas que mes mauvaises notes découlaient en grande partie de mon problème alimentaire à l'école.

Mon premier rapport malsain avec la nourriture s'est installé dans ma petite enfance. J'étais obsédé par les enfants du Biafra ou d'Afrique qui ne mangeaient pas, ou si peu. J'avais vu à la télévision leurs ventres ballonnés, leurs jambes maigres et tordues, leurs grands yeux exorbités. J'en faisais même des cauchemars: je me réveillais la nuit, en sueur, encore accompagné par leurs regards désespérés. Maman nous disait souvent: «Videz votre assiette les enfants, c'est pas beau le gaspillage; il y a plein de petits Africains qui ne mangent pas à leur faim et qui seraient très heureux d'avoir autant à manger que vous.» Et les religieuses tenaient le même discours. Je me sentais donc coupable de pouvoir me remplir la panse à volonté alors que les trois quarts de la population crevaient de faim; je me sentais coupable de ne pas manger et de laisser de la nourriture dans mon assiette. Je m'identifais inconsciemment aux enfants malades et affamés. J'étais moi-même un enfant chétif et maladif. Jusqu'à l'âge de 12,13 ans, j'étais maigre, fluet, souvent faible; j'avais eu une hernie, des rhumatismes musculaires et articulaires, et un souffle au cœur.

J'avais fait le lien entre les personnes malades à l'hôpital et la mort. Ça demeurait assez abstrait, mais je savais que la mort faisait pleurer, rendait les gens tristes, et que la personne qui était à la veille de mourir n'avait généralement pas l'air en forme. Et comme je n'étais pas très en santé... Le soir, quand maman venait me border, je lui demandais timidement: «Maman, c'est quoi la mort? Maman, est-ce que je vais mourir?»

J'étais si malade... J'avais quatre ans lorsqu'une nuit, je me suis réveillé en sursaut, les deux jambes paralysées... J'ai rampé jusqu'à la chambre de papa et maman en criant: «Maman! Papa! J'peux plus marcher!» Je n'ai jamais vu des oreillers revoler aussi haut! C'était mes rhumatismes qui faisaient leur apparition... D'ailleurs, chaque fois que papa voit des photos de moi tout petit, il échappe toujours un «Oh! que t'étais malade... Oh! T'étais pas bien, là... Oh! tu faisais assez pitié, pauvre p'tit...» Chaque fois, une telle tristesse se glisse dans sa voix que j'ai envie de rire, tout en étant ému de sentir l'impuissance de papa. Malgré sa peur des hôpitaux, il venait toujours voir comment se portait son «Tit-homme»; encore aujourd'hui, si je suis hospitalisé, il surmonte sa phobie des ascenseurs et des longs couloirs vert malade pour m'apporter des oranges...

Je me suis remis à manger en sixième année, lorsque j'ai enfin compris que mes parents m'avaient confié aux religieuses pour mon plus grand bien et non parce qu'ils ne m'aimaient pas. N'étant plus pensionnaire au secondaire, j'ai donc recommencé à manger. J'ai même repris le temps perdu. J'engraissais à vue d'œil, je bouffais comme un cochon, j'engloutissais des sacs complets de biscuits, je m'empiffrais de sucreries, de crème glacée, de toasts au beurre de peanuts et confiture... Et comme je n'étais plus malade, je faisais de plus en plus de sports, particulièrement du football et je m'entraînais pour développer mon corps, mes bras, mes cuisses, mon dos. Tout au long du secondaire, je me suis bâti une carapace de graisse et de muscles. J'étais blindé contre mes adversaires au football et contre la peur de ne pas être aimé. Je bouffais pour être gros, performant et invincible. J'ai passé des années à me gaver avec joie et outrance. Le frigo était toujours rempli à craquer, à tel point où mes amis venaient à la maison juste pour l'ouvrir et s'extasier devant la quantité industrielle de nourriture qui s'y trouvait. Parfois, la culpabilité de vivre dans une telle abondance remontait à la surface avec le souvenir des petits Biafrais. Mais je noyais rapidement ces images dans de grands verres de lait au chocolat; j'avais faim, je mangeais, j'étais gros, et tant pis pour le reste.

Toujours l'excès. Trop ou pas assez. Comme papa.

Lorsque j'ai été engagé pour jouer le rôle d'un boxeur dans le film *Le vent du Wyoming* de Marc-André Forcier, je pesais plus de deux cents livres. Ma carrière de comédien piétinait un peu et ce rôle représentait une chance en or de démontrer que je pouvais jouer autre chose qu'un bon gros sympathique. Alors, sans que Forcier me le demande vraiment, j'ai commencé un entraînement intensif pour perdre du poids, découper mes muscles et apprendre à bouger comme un pugiliste. L'acteur et boxeur Deano Clavet m'apprenait les rudiments de la boxe trois ou quatre fois par semaine et le reste du temps, je le passais sur des appareils de musculation ou d'exercices cardiovasculaires. Je n'avais qu'un seul objectif: être crédible sur un ring et ne pas tromper la confiance que Forcier avait placée en moi.

Les premiers jours furent épouvantables: je ne pensais qu'à manger. Le conseiller sportif Michel Côté, mon entraîneur personnel, m'avait permis de me gâter de temps en temps, mais je résistais à la tentation, obsédé par le but que je m'étais fixé: perdre 50 livres. Ma famille et mes amis étaient inquiets; ils me voyaient fondre de semaine en semaine à une vitesse excessive. Chaque fois que papa me rencontrait, il hochait la tête, soucieux, me questionnait sur mon entraînement et me demandait de faire attention à ma santé. Parfois, il me lançait carrément: «T'as l'air malade, Jean-Marie! T'es trop maigre!». Je me faisais rassurant, je disais que mon entraîneur supervisait mon alimentation, ma condition physique et que tout se déroulait parfaitement. Qu'il n'y avait pas de problème. Je parvenais même à me convaincre moi-même. Mais il y avait bel et bien un problème qui se profilait à l'horizon...

J'ai perdu 60 livres en huit mois. Jusqu'à la fin du tournage, tout était sous contrôle. Ma démarche était professionnelle, j'avais préparé mon corps comme un acteur répète son rôle. Et lorsque Martin Randez, qui jouait l'autre boxeur du film et qui avait naturellement une silhouette d'athlète, m'avait vu après plusieurs mois d'entraînement, il n'en revenait pas. Il était épaté par ma transformation. Personne n'en croyait ses yeux. C'était ma récompense: j'avais atteint mon objectif, j'avais vraiment l'allure d'un boxeur.

Décembre 93... Le tournage est terminé, le temps des Fêtes arrive, c'est le party! J'ai envie de crème glacée? Allez, hop! Je vide trois pots de *Häagen Dazs* en vingt minutes! On m'offre du chocolat? Je me retiens pour ne pas vider la boîte à moi tout seul. Les patates, les viandes froides, les pâtés, les tourtières, les gâteaux... Obélix est un ascète, comparé à moi! Sauf qu'après deux semaines d'abus, je me regarde dans le miroir et je me trouve presque obèse. J'avais pris cinq ou six livres et je capotais, j'avais l'impression d'en avoir pris trente. Pendant huit mois, je m'étais privé, j'avais fait des efforts titanesques pour avoir un corps que je visualisais parfait et voilà qu'en quelques jours, j'étais redevenu gros. Mon entourage me demandait quelle sorte de régime j'avais suivi pour maigrir autant et moi, je me voyais bouffi, énorme. J'avais encore perdu le contrôle...

Le contrôle! Une des clés du problème d'anorexie-boulimie. On est convaincu que tout nous échappe: l'amour, la carrière, l'estime de soi et des autres. La seule chose qu'on peut maîtriser, c'est notre corps. Alors, on exerce une vigilance excessive sur chaque muscle, chaque amas de graisse, compensant l'impression de manque de contrôle sur la réalité. Et on en est fier. Pas de son corps, non – on persiste à le trouver difforme – : on est fier de pouvoir contrôler quelque chose, ça sécurise. Mais on le punit aussi, ce corps, on le torture lorsqu'on ose manger quelques biscuits. Et l'anorexique-boulimique n'a pas de fond quand il décide de s'empiffrer. Il bouffe, et bouffe, et bouffe jusqu'à l'écœurement; la première bouchée est délectable, la seconde, encore plus. «Allez, Jean-Marie, gâte-toi. Juste un autre baklava pis c'est tout.» Puis, peu à peu, la petite voix dans ta tête change de discours: «Vas-y mon gros, mange! Continue! T'es même pas capable d'arrêter... T'es minable, pis t'es *gros*! Envoye! Bourre-toi! T'as pas de force de caractère, tu vaux rien, même pas le prix du sac de *chips* que t'es en train d'engloutir comme un porc. C'est ça, mon gros, mange!» Tu te déçois, tu te dégoûtes, tu te détestes et tu te punis. Et comme j'étais incapable de me faire vomir, je me défonçais au gym, je brûlais toutes les calories que j'avais prises et ensuite, j'en brûlais d'autres pour me punir. Mon entraîneur me voyait aller et me demandait chaque fois: «Qu'est-ce que t'as mangé Jean-Marie?» Généralement, je lui avouais ma «faute» et, immanquablement, il me répétait: «L'équilibre, Jean-Marie. Offre-toi deux ou trois petits repas permissifs par semaine, au lieu de bouffer comme un cochon. Amène l'équilibre dans ta vie, pis le reste va suivre.»

Ça m'a pris environ cinq ans avant d'accepter, de comprendre, d'atteindre cet équilibre. Durant toutes ces années, j'ai culpabilisé, je me suis méprisé, j'ai menti aux autres et à moi-même. Certains, comme papa, noient leur anxiété dans l'alcool ou le *gambling*, d'autres, dans les drogues, leur douleur, leur mal de vivre; moi, c'était dans la bouffe. Ça a toujours été dans la bouffe. Jusqu'à ce que, tout doucement, un jour à la fois, avec beaucoup d'efforts, j'apprenne à m'aimer, à m'estimer, à apprécier la vie. Josée m'y a aidé avec son amour, sa générosité, sa patience d'ange. Ma carrière a pris une tournure qui me convient, j'ai retrouvé le goût de m'amuser, de me faire plaisir et de faire plaisir aux autres. J'ai une alimentation très saine, de plus en plus équilibrée, et lorsque j'ai envie de manger un muffin aux pépites de chocolat avec un grand verre de lait, pas de problème. Et je ne me précipite pas le lendemain sur une machine cardio-vasculaire pour éliminer ces quelques petites calories absorbées. Je me suis gâté, c'est tout. Et, petit à petit, ma relation avec papa s'est transformée.

L'épicerie est faite. En plus des desserts, qui doivent bien remplir à eux seuls deux gros sacs bruns, nous avons fait provision de fromages, de jambon, de pain blanc pour papa, de pain aux céréales pour Jean-Marie et de fruits et légumes, pour faire passer les biscuits...

Les gens nous reconnaissent encore une fois et doivent deviner que nous sommes dans les parages pour pêcher. Je ne sais pas si papa remarque les regards complices qui nous suivent dans les allées de l'épicerie. Mais moi, ça me touche, ça me réjouit. Jean Lapointe et son fils vont à la pêche ensemble. Comme dans le film *Un zoo la nuit*... Parallèle d'autant plus cocasse que papa avait été approché par Jean-Claude Lauzon pour jouer dans son film. Mais papa faisait plusieurs semaines à la Place des Arts à ce moment-là et ne pouvait absolument pas se libérer. C'est lui qui avait proposé à Lauzon d'engager Roger Lebel pour le rôle. Magnifique Roger Lebel...

C'est l'heure du souper. On se fait des sandwiches et on mange du sucré. Hé! que ça commence bien une fin de semaine! On relaxe, on apprécie la nature qui se repose, on passe quelques remarques sur la splendeur du site; on essaie nos téléphones cellulaires mais ça ne fonctionne pas: la civilisation est hors de portée. Comme je viens de m'acheter un nouvel appareil-photo, je bizoune avec, je fais des tests, pendant que papa se fait un café et lit son journal. Soudain, il lâche un cri.

– ⚡★◎●! Où est-ce que j'ai mis mes dents!

Après m'avoir demandé la permission de le faire, papa a enlevé son dentier pour manger et, évidemment, il ne se souvient plus où il l'a foutu. C'est un *running gag* presque quotidien depuis deux ans; il perd ses dents, les cherche, les trouve, les perd encore... On croirait qu'il le fait exprès, juste pour voir l'air ahuri des gens à qui il demande: «Aurais-tu vu mes dents par hasard?» Alors, pendant dix minutes, nous fouillons le chalet pour retrouver son dentier; Oscar et Félix à la recherche du dentier perdu... Finalement, papa les déniche dans un *kleenex*, au fond d'une poubelle!

Comme nous devons nous lever très tôt le lendemain matin, nous décidons d'aller nous coucher vers huit heures trente. Je vais dans la chambre de papa voir s'il est bien installé, s'il n'a besoin de rien, si ses dents sont confortables... J'ai l'impression de border mon fils... «Bonne nuit, bons rêves, pas de puces, pas de punaises...» Le p'tit est couché, je peux vaquer à mes occupations... Je prends mes aises dans ma chambre, feuillette le manuel d'instructions de mon appareil-photo, joue avec, puis je me couche. Je parle à maman quelques minutes, comme je le fais tous les soirs. Je m'adresse à elle comme à un ange gardien, lui raconte ma journée avec papa, lui confie combien je suis heureux d'être ici avec lui. «Je t'aime maman, continue de nous protéger et merci encore pour cette belle journée.»

La nuit est très douce, reposante. Je me laisse bercer par les ronflements de papa et les souvenirs qui me viennent en tête. Des bons et des moins bons. Mais je n'ai pas envie de penser aux moins bons. Pas ce soir.

CHAPITRE 3

Les enfants qui dorment couchés sur des nuages
Rêvent de fées, d'étoiles, de pantins, d'arcs-en-ciel...

Extrait de la chanson
Les enfants les amants
Lapointe-Lefebvre

Le soir de Noël 82... Une petite neige silencieuse danse dans la lumière des phares de la voiture. Papa et moi allons à la messe de minuit de la *Maison Jean Lapointe*.

J'avais 14 ans lorsque papa m'a invité pour la première fois à l'accompagner au réveillon des résidents en cure fermée. J'étais déjà sensibilisé au problème de l'alcoolisme; papa et moi avions eu plusieurs discussions à ce sujet et nous avions déjà aidé le père alcoolique de mon grand ami Sylvain Boudreau. C'est d'ailleurs ce qui nous avait rapprochés, Sylvain et moi, lorsque nous nous étions rencontrés dans un camp de vacances: le problème d'alcool de nos pères. Alors, tout naturellement, l'après-midi du 24 décembre 1979, papa m'avait demandé si ça me tentait de venir faire un tour à la Maison en soirée et j'avais accepté avec plaisir.

Mais cette année, c'est un peu différent. Papa m'a proposé d'apporter mon clavier pour donner un petit spectacle au cours du réveillon. Je suis touché qu'il fasse confiance à mes talents de musicien, mais ça me rend un peu nerveux. Pas de faire un spectacle mais d'accompagner mon père, habitué à avoir son propre *band* et ses choristes. Oh! mon Dieu! Et s'il me demande de chanter? Quelle horreur!

Nous nous garons devant la *Maison Jean Lapointe* qui fait partie de la grande résidence des Sœurs Grises.. La petite neige recouvre déjà toutes les voitures stationnées sur la rue Normand, dans le Vieux-Montréal. Je connais bien le bâtiment pour y avoir travaillé deux étés de suite. Au début, en tant qu'homme à tout faire, puis comme responsable des activités physiques pour les résidents en thérapie. J'aimais leur parler, les supporter par un petit mot d'encouragement... J'assistais parfois à des *meetings* A.A. et, un soir, j'avais été témoin du partage de mon père. Je lui avais demandé la permission d'être présent et, agréablement étonné, il avait accepté, tout en réalisant que j'allais probablement apprendre des choses à son sujet... L'idée de découvrir certains éléments concernant son passé d'alcoolique ne me troublait pas outre mesure. Il ne buvait plus depuis plusieurs années déjà et, à mes yeux, il était guéri. Nous nous étions donc rendus au *meeting* dont papa était le conférencier principal, nous avions échangé quelques mots avec les alcooliques présents, écouté le président de l'assemblée, puis papa s'était avancé et avait pris la parole. Comment il avait commencé à boire, comment ça avait bouleversé sa vie, celle de sa famille, comment il vivait aujourd'hui sa sobriété. Ce qui m'avait impressionné, ce n'était pas tant certains détails de son passé qui m'étaient inconnus que le fait que *Jean Lapointe* se dévoile et admette ses faiblesses à d'autres personnes. J'ai toujours été très fier de ce côté de mon père. Il a été une des premières personnalités publiques à avouer son alcoolisme, à en parler et à tenter de rendre cette maladie plus humaine. Ça m'a appris à mieux comprendre les alcooliques, à saisir la douleur intérieure de ces personnes. Et surtout, à moins juger mon père.

Nous montons au premier étage où je cache mon clavier et mon haut-parleur, et nous rejoignons la trentaine de résidents et la douzaine de religieuses qui placotent au fumoir. Quelques infirmières sont là aussi, ainsi que deux thérapeutes. On parle de tout et de rien; enfin, on essaie. L'ambiance n'est pas nécessairement à la joie. Certains résidents sont poqués, l'un d'entre eux est entré en cure la veille, la plupart se sentent très seuls et loin de leurs familles. Papa se promène d'un groupe à l'autre, essayant de leur remonter le moral.

– C'est le plus beau cadeau que vous pouvez vous faire, à vous, à votre femme, à vos enfants. Ils sont peut-être tristes que vous soyez pas avec eux à Noël mais, *un*, vous êtes pas en party ce soir, vous êtes sobres, et *deux*, vous le serez encore dans un an et vous apprécierez encore plus le prochain Noël avec vos familles.

D'année en année, papa prend la peine de rassurer les résidents, de leur parler et de les écouter avec son cœur. Et ça me touche. Pas seulement moi, d'ailleurs. Ces hommes et femmes sont visiblement émus que Jean Lapointe prenne le temps de passer quelques heures avec eux le soir du réveillon. Et je crois que ma présence auprès de papa les réconforte, d'une certaine manière. Ils ont la preuve qu'un fils peut pardonner à son père, ou à sa mère, son passé d'alcoolique. Que malgré tous les anniversaires oubliés, les engueulades, les larmes, les déceptions, les absences, ils peuvent espérer renouer un jour avec leurs proches.

Quinze ou vingt minutes après que nous soyons arrivés, un prêtre nous invite tous à passer du côté de la résidence des Sœurs Grises pour la messe. Évidemment, ce ne sont pas tous les résidents qui croient en Dieu, mais le fait d'appartenir à un groupe de personnes aussi fragiles qu'eux les sécurise, Jean Lapointe est là et les religieuses ont un sourire si chaleureux... Nous sommes donc une cinquantaine à pénétrer dans la chapelle; on dirait une chapelle de poche tellement elle est petite, simple, intime, pas gênante pour deux sous. La messe dure trente minutes au plus, le curé ne fait pas de sermon prêchi-prêcha, les religieuses entonnent de leurs voix très douces des cantiques de Noël et, vers la fin de la cérémonie, papa chante a capella la prière de la sérénité des A.A.

«Mon Dieu,

Donnez-moi la sérénité d'accepter les choses que je ne peux changer,

Le courage de changer les choses que je peux

Et la sagesse d'en connaître la différence.»

Certains résidents pleurent, d'autres prient, mais je crois bien que tous se laissent bercer par les paroles d'espoir de cette prière et par la voix de papa. Je ne sais pas ce qui l'habite lorsqu'il chante cette prière mais sa voix devient toute ronde, chaude, épurée. Aucun effet, aucun trémolo, simplement une prière qu'il chante pour Dieu et pour les autres alcooliques qui ont mal. J'ai beau l'avoir entendu la chanter des dizaines de fois, je suis ému comme, probablement, tous ceux qui l'écoutent.

La messe terminée, les religieuses nous invitent à passer à la cafétéria où une réception nous attend. Quelques décorations de Noël, un petit sapin argenté de bonne sœur, des buffets chauds et froids: elles sont parvenues à créer une atmosphère sympathique qui rend le cœur un peu plus léger. Les langues se délient, les résidents sont moins tristes, papa passe d'une table à l'autre pour dire un mot d'encouragement. Discrètement, j'installe mon clavier et le petit haut-parleur dans un coin de la cafétéria, et c'est alors que les résidents réalisent qu'ils vont avoir droit à un *show* gratuit de Jean Lapointe, juste pour eux. Quand on pense que papa remplit toutes les salles du Québec des mois de temps, que ses disques se vendent à des milliers d'exemplaires, qu'il est une des plus grosses vedettes de l'époque, c'est tout un cadeau de Noël. Pendant quarante minutes, il chante son répertoire, fait des blagues, improvise des bouts de monologues, transforme *Chante-la ta chanson* en chanson à répondre... Y a peut-être pas d'alcool, mais le party est pris! J'essaie de le suivre sur mon clavier, de ne pas faire trop d'erreurs ou lorsque j'en fais, papa me niaise et rend mes gaffes comiques. Et, à mon grand soulagement, il ne me demande pas de chanter... On a du fun, les résidents aussi, et même les religieuses pouffent aux farces grivoises que papa ne peut s'empêcher de leur adresser... Je suis fier de mon père, touché par sa générosité et heureux de participer à ce moment privilégié avec ces hommes et ces femmes qui oublient, pour un instant trop court, leur solitude et leur peine.

Je ne retrouverai cette complicité entre papa et moi en tant que «performers» qu'en 1998, lors du dernier téléthon.

Il est environ dix heures, le spectacle est terminé et il est temps, pour papa et moi, d'aller rejoindre maman et mes sœurs qui nous attendent à la maison. Je serre la main de quelques résidents, fais la bise à d'autres, leur souhaite bonne chance et, une fois dehors, je me sens heureux.

– Jean-Marie, quand tu vas déballer ta tonne de cadeaux tout à l'heure, réalise que t'es chanceux. On a de l'argent, on a la santé, on est en famille, on a une belle maison, on manque de rien... Aie une petite pensée pour les résidents qui se battent, qui ont décidé de s'éloigner de leurs proches à Noël pour sauver leur vie et celle de leur famille. Ça demande beaucoup de courage. Et si tu veux, remercie le petit Jésus pour tout ce qu'il nous donne.

Les rues sont blanches, l'air est frais et picote la peau, les lumières de Noël suspendues aux arbres et aux balcons nous font des clins d'œil... C'est un vrai beau soir de réveillon.

En arrivant à la maison, maman nous accueille avec son beau sourire. Ça sent bon la tourtière, les croissants, les pâtés, les cretons maison. Bing Crosby chante *White Christmas*, le sapin du salon scintille, mes sœurs discutent mode et coiffure... Je regarde papa du coin de l'œil, il me sourit. «Vas-y Jean-Marie, ouvre ton premier cadeau.» C'est Noël, je suis entouré de personnes que j'aime et je me sens en paix.

Nous retournerons passer une partie du réveillon de Noël à la *Maison Jean Lapointe* jusqu'en 89; moi avec mes claviers, papa avec son grand cœur. Nous avons cessé d'y aller depuis que papa n'habite plus Montréal. C'est un peu dommage. Pour les résidents, pour les religieuses, mais pour nous aussi.

Joséphine! Ma p'tite sœur à quatre pattes! Mon toutou, mon chien à moi, ma confidente aux oreilles grandes ouvertes. Joséphine, qui me donne des becs quand je suis triste et qui fait des *saltos* arrière quand je suis heureux... Joséphine, qui vient me visiter dans mes rêves: elle me lèche le visage, me donne la patte, penche sa belle tête de côté et me regarde de ses petits yeux amoureux... Je n'ai jamais aimé un animal comme j'ai aimé Joséphine, un airedale que nous avons eu pendant 13 ans. Et elle m'aimait inconditionnellement, comme seuls les chiens savent le faire.

«Jean-Marie, va promener ta p'tite sœur... Prépare-lui son souper... Veux-tu lui donner un bain?» Joséphine, notre amie à maman et à moi. Et à papa, lorsqu'il était à la maison. Malgré mes niaiseries, malgré mes mauvaises notes à l'école, mon excès de poids, mes sautes d'humeur, mes mauvais coups, Joséphine m'aimait. Même lorsque je la poussais dans la piscine – ce qu'elle détestait – elle sortait de l'eau en pleurnichant, s'ébrouait et revenait frotter sa tête contre la mienne; elle me pardonnait immédiatement, tout en sachant très bien que j'attendais une autre occasion de la replonger dans la piscine; elle savait que je ne voulais pas lui faire de mal, que c'était juste pour jouer, pour rire, et elle demeurait près de moi. Je confiais tout à Joséphine: les rechutes de papa et ses engueulades avec maman, ma douleur quand j'étais malade, mon chagrin quand une fille me rejetait; elle savait tout de ma peur de voir mourir papa, de voir partir maman.

Lorsque je revenais du camp de vacances, j'étais content de revoir papa, maman et mes sœurs, mais c'était ma p'tite sœur à quatre pattes qui m'avait manqué le plus. Dès qu'elle m'apercevait, elle courait partout, me sautait dessus, jappait, faisait la folle. Une fois, elle était tellement excitée qu'elle s'était roulée dans la terre, avait fait revoler des mottes de gazon et s'était précipitée dans la piscine vide que maman venait tout juste de faire peinturer... Je n'arrêtais pas de rire pendant que maman s'arrachait les cheveux devant le désastre. Les peintres avaient dû revenir le lendemain...

Joséphine était une bête incroyable. Papa a toujours dit qu'il n'avait jamais vu un chien aussi bon, aussi gentil que Joséphine. Si elle voyait l'un de nous sortir de la cour, elle aboyait pour avertir maman. Ou si nous restions sous l'eau, dans la piscine, plus de dix secondes, elle hurlait à mort. Nous étions entre bonnes mains, entre bonnes *pattes*.

Ma Joséphine qui ne voulait pas dormir dans mon lit... J'avais beau l'emporter dans mes bras, la glisser sous les draps, elle me quittait au bout de cinq minutes pour aller s'enrouler dans son panier à la cuisine, d'où elle pouvait surveiller la porte d'entrée arrière. Ma Joséphine qui posait sa tête sur ma cuisse sous la table à dîner, attendant que je lui donne un morceau de steak, une côtelette de veau ou un biscuit. Ma Joséphine qui enfouissait son museau froid dans le creux de mon cou pour que je flatte sa nuque. Joséphine, qui n'avait jamais assez de mes caresses et qui, dès que je cessais de la flatter, frottait sa tête contre ma main pour que je recommence à la câliner...

Joséphine, en bonne intervenante, servait de relais entre papa, maman et moi; en passant par elle, nous pouvions démontrer notre affection mutuelle et notre besoin de tendresse. Combien de fois s'est-elle promenée de l'un à l'autre, quémandant une caresse jusqu'à ce qu'elle parvienne à réunir nos mains sur son dos et que nous lui disions en chœur: «C'est une belle fille Joséphine, c'est la fille à sa maman, à son papa et à son Jean-Marie. Hé! qu'on l'aime, notre Joséphine!» Mes souvenirs de tendresse entre mes parents et moi sont presque toujours accompagnés de cette grosse boule de poils frisés montée sur quatre pattes qu'était Joséphine. Ma p'tite sœur...

– Jean-Marie, arrête de faire pleurer Joséphine!

– Elle pleure pas, elle est contente!

Quand j'arrivais à la maison après être parti pendant un certain temps, Joséphine émettait une sorte de *silement*, de pleurnichement qui semblait signifier qu'elle était très contente et pleurait de joie: «Huuuuu... Huiiiii...» Alors je me penchais vers elle et je l'imitais; je pleurnichais, pour exprimer dans sa langue que j'étais content de la voir moi aussi. Elle en remettait, je faisais de même, jusqu'à ce que nos jérémiades atteignent certains aigus qui irritaient maman au plus haut point. Mais au bout d'un certain temps, je m'étais bien rendu compte qu'effectivement, Joséphine pleurait. Et pas de joie. Ma Fifine pleurait parce qu'elle croyait que je pleurais moi-même et ça la rendait triste, alors elle pleurait avec moi. Ça me touchait tellement que... je recommençais immédiatement! Je m'amusais à la faire gémir en gémissant avec elle, juste pour le plaisir de la prendre dans mes bras après pour lui donner des caresses et recevoir ses câlins.

– Jean-Marie, arrête de faire pleurer Joséphine!

– C'est pas moi, maman, c'est papa!

– Jean! Franchement!

Papa, aussi gamin que moi, s'était mis à jouer le jeu et à briser le cœur de Joséphine. Il me grondait parfois et m'interdisait de la tourmenter, pour en faire autant dès que j'avais le dos tourné. «Huuuuu... Huiiiii...» Deux petits monstres avec leur chien... Mais c'est pas bête un chien; et surtout pas Joséphine...

Un soir que nous étions installés dans le boudoir à regarder la télévision, papa et moi, Joséphine vient faire son petit tour habituel avant d'aller se coucher dans son panier. Nous la flattons, lui donnons des gros becs sur le dessus de la tête – «Bonne nuit Joséphine, bonne nuit ma belle fille» – et elle sort du boudoir, ravie. À peine a-t-elle tourné le coin du couloir que je regarde papa avec mon air haïssable; il n'attendait que ça. Nous nous mettons à gémir doucement puis à pleurnicher de plus en plus fort. Joséphine accourt à toute vitesse et nous avons toute la misère du monde à garder notre sérieux tellement c'est drôle de la voir se précipiter vers nous, comme ça, chaque fois inquiète. Mais Joséphine s'arrête au milieu du boudoir, nous jette des coups d'œil soupçonneux et ne bronche pas. Alors papa et moi en rajoutons, nous cachons nos visages dans nos mains en hurlant de plus belle. «Huuuuu... Huuuuu... Huiiiii... Joséphine, j'ai de la peine... Huuuuu... Huiiiii...» Eh bien, elle nous observe d'un air voulant dire «Bon, qu'est-ce qu'ils ont encore à brailler comme ça, ces deux-là...», elle va vers papa, lui lèche le visage, s'approche de moi, me lèche le visage, puis elle repart en trottant. C'est à peine si je ne l'entends pas dire: «Ça va mieux, les p'tits gars? Parce que maman Joséphine a autre chose à faire!» Cré Joséphine!

Vers la fin de sa vie, Joséphine a été très malade; en plus d'être âgée, elle avait quelques tumeurs cancéreuses et marchait de plus en plus difficilement. Elle faisait tellement pitié, ma pauvre Fifille... Pendant un an, maman a régulièrement tenté de me convaincre de la laisser partir, de la faire endormir, mais je refusais net. Il n'était pas question que Joséphine meure. Je m'en occupais le plus possible, l'embrassais, la caressais et elle répondait à mon affection par des regards de plus en plus tristes et fatigués. Ça me fendait le cœur de la voir ramper jusque sous la galerie dans la cour, s'installer à l'ombre et attendre de mourir. Plusieurs animaux s'isolent lorsqu'ils sentent venir la mort et c'est ce qu'elle faisait. J'allais la chercher, la prenais dans mes bras et la ramenais dans la maison en lui disant que je l'aimais. Lorsque maman est arrivée à la maison avec un nouveau chiot, Joséphine a compris qu'on la remplaçait. Mais son instinct maternel était si fort qu'elle a accepté la petite nouvelle, Baronne, un sharpeï, lui permettant de manger dans son bol et lui laissant toute la place. Mais un jour, avec toute l'énergie d'une jeune chienne, Baronne s'est mise à agresser Joséphine, à la mordre, à lui sauter dessus, à la tasser du décor. Une question de territoire, certainement. Et Joséphine a riposté et s'est défendue. Nous avions beau les séparer, les affrontements reprenaient de plus belle. Pour la première fois, j'ai vu Joséphine être méchante. Et, pour la première fois aussi, j'ai détesté un chien. Je voulais qu'on se débarrasse de Baronne, qu'on la donne à une autre famille, qu'elle disparaisse. Je n'ai jamais été aussi près de frapper un animal de ma vie.

Puis, soudainement, Baronne a cessé ses attaques; peut-être avait-elle compris que Joséphine était très malade et qu'il ne fallait pas la brusquer ou lui faire mal. À partir de ce jour-là, Baronne a été adorable avec Joséphine. Avant de sortir pour jouer dans la cour, elle frottait son museau contre celui de Joséphine qui dormait dans la cuisine; lorsqu'elle rentrait, le petit manège se reproduisait: Joséphine levait la tête et Baronne lui donnait «un p'tit bec», comme disait maman. Et quand nous avons fait endormir Joséphine, Baronne l'a cherchée pendant des jours...

À contrecœur, j'avais accepté l'inévitable. Parce que maman, voyant que ses arguments ne me touchaient pas, avait envoyé papa me parler. Il avait trouvé les mots justes pour me faire comprendre la souffrance de Joséphine. L'amour de Joséphine, la tendresse, les souvenirs qu'elle me laissait. Papa m'avait donné quelques heures pour réfléchir et j'étais allé retrouver ma p'tite sœur sous sa galerie. Je lui avais parlé tout doucement, l'avais remerciée pour ses câlins, ses coups de langue, sa bonté, et je lui avais demandé dans le creux de l'oreille si elle voulait vraiment partir. Depuis quelques semaines, Joséphine ne bougeait presque plus tant elle était faible, ne réagissait plus au son de ma voix et je me disais que si elle voulait vraiment s'en aller, elle me ferait un signe. Elle a relevé la tête et m'a regardé d'un regard si malheureux que j'ai compris. D'accord, ma belle Joséphine, ma Fifille, Fifine, c'est fini, tu n'auras plus mal, tu vas te reposer maintenant. Je sais que c'est à cause de moi que tu souffres pour rien depuis un an. Excuse-moi, ma Joséphine d'amour.

Le lundi 20 juillet 87, j'ai transporté Joséphine dans mes bras, l'ai déposée délicatement sur la banquette arrière de la petite décapotable de maman et l'ai embrassée pour la dernière fois. Une pluie fine tombait ce jour-là et j'ai voulu remettre le toit de la voiture mais maman m'en a empêché, objectant que ça faisait une petite brise pour Joséphine qui avait toujours aimé les tours d'auto, sentir le vent ébouriffer ses poils et sa moustache. J'aurais dû accompagner maman chez le vétérinaire mais j'en étais incapable. Je suis resté à la maison, attendant le retour de maman. Et lorsque, deux heures plus tard, j'ai reconnu sa voiture au coin de la rue, j'ai espéré, un bref moment, que ma mère me ramenait ma petite sœur à quatre pattes, que le vétérinaire avait trouvé un médicament miracle, que Joséphine n'était pas morte. Maman a garé sa voiture et est entrée seule dans la maison. Elle pleurait.

– Est-ce que Joséphine a souffert, maman?

– Non, ça a pris trois secondes puis c'était fini. (Elle a passé sa main sur ses yeux) C'est mieux comme ça, hein, Jean-Marie...

C'était une question? Une affirmation? Tout ce que je sais, c'est que maman et moi, nous avons pleuré Joséphine longtemps. Notre grande amie à tous les deux était partie.

Un midi d'été. J'ai huit ans. Maman nous sert, à mes sœurs et à moi, du *blé d'Inde en épi grand*. C'est bon, avec beaucoup de sel. Surtout qu'on n'a jamais le droit de manger du sel. Sauf avec du *blé d'Inde en épi grand*. Et après, on va avoir du melon d'eau. On va faire un concours à qui crache ses pépins le plus loin. Pendant que maman a le dos tourné, évidemment.

Je croque dans mon troisième blé d'Inde quand j'aperçois papa à l'entrée de la cuisine. Ça doit faire au moins dix jours qu'on l'a pas vu à la maison. On crie tous en même temps: «Allo, papa! Papa est revenu! Maman, t'as vu? Papa est là!» Il nous dit un gros «Bonjour les enfants» d'une voix bizarre. On dirait qu'elle traîne, comme ses pieds. Il marche tout croche, son visage est flou; il nous sourit mais il a l'air triste en même temps. Il passe à côté de moi et met sa main sur mon épaule.

– Èye mon fils, j'ai trouvé TOUT un *spot* de pêche!

– Ah, oui?

– Ouaaaais...

Depuis le temps qu'il me promet qu'on va aller pêcher tous les deux! Maman avait dû me consoler à quelques reprises lorsque papa me disait qu'on partait à la pêche et qu'il pouvait pas y aller finalement. Mais cette fois, je suis sûr que c'est pour vrai parce qu'il l'a dit devant tout le monde. Peut-être qu'on ira plus tard, pendant les vacances. Papa et moi, on va pêcher plein de poissons et je vais écœurer mes sœurs avec. Je suis tellement excité que je me tourne vers maman pour voir si elle est aussi contente que moi. Non. Elle est fâchée et regarde papa se diriger vers les toilettes, pis elle se tourne vers moi et mime quelqu'un qui a une bouteille dans la main et qui prend une grosse gorgée. Elle dit pas un mot mais je sais ce que ça veut dire: ton père est soûl, crois pas ce qu'il vient de te dire.

Encore une fois.

Au nom du Père, du Fils et du Saint-Esprit. Seigneur, bénissez ce repas que nous allons prendre et donnez du pain à ceux qui n'en ont pas. Amen.

J'suis en sixième année et j'ai onze ans. C'est nous les grands, les finissants. Personne ne peut nous planter, les plus jeunes nous admirent comme si on était des grandes personnes, les filles commencent à être jolies (elles l'étaient peut-être avant mais ça nous intéressait pas)... J'aime bien le repas du soir. Au lieu de la maudite soupe au riz que nous avalons tous les midis, l'entrée se compose d'un bol de céréales *Corn Pops*. Un peu farfelu, peut-être, mais commencer par du sucré, j'aime ça...

Nous avons chacun nos places. J'suis l'avant-dernier, à la deuxième table. J'ai la chance de pas être assis à la même table que sœur Denise, la responsable des pensionnaires de 6e année; je peux me permettre de faire quelques niaiseries et faire rire mes camarades...

En ce jeudi soir, après avoir récité le bénédicité avec mes camarades, je m'apprête à engloutir un pain de viande *à la bonne sœur* lorsque la directrice du collège s'approche de moi. Une vingtaine de paires d'yeux se tournent dans ma direction, les fourchettes se taisent, les bouches et les oreilles sont grandes ouvertes... Bon, qu'est-ce que j'ai fait encore? Les autres garçons doivent se poser la même question, car je deviens immédiatement le centre d'attraction de la cafétéria. J'suis régulièrement en retenue. Pour *rien*, en plus. C'est si grave de faire rire les copains avec des blagues, des rots, des pets quand c'est pas le temps? Me semble que faire rigoler les amis mérite absolument pas de rater une activité pour apprendre par cœur un extrait de la Bible! Lorsque je savais enfin le texte, je le récitais à la religieuse et alors, je pouvais aller rejoindre les autres dans la cour de récré.

Bref, sœur Gilberte se plante dans mon dos, pose ses longues mains fermes sur mes épaules; je sens son regard sur ma nuque, je torture ma serviette de table... Une chance que j'ai déjà mangé mon dessert!

– Jean-Marie, il faudrait que tu aies une petite pensée pour ton père... C'est sa première à la Place des Arts ce soir...

Oh! c'est vrai, c'est ce soir que papa donne son premier gros spectacle-solo depuis la séparation des Jérolas. J'avais complètement oublié! Je tourne la tête vers sœur Gilberte et je la remercie de me le rappeler. En souriant, elle me donne une petite tape amicale sur le bras et quitte la cafétéria.

Eh! que papa doit être nerveux! Je pense fort, fort, fort à lui. Il doit tourner en rond dans sa loge. Il doit vouloir aller se cacher dans sa chambre tellement il a peur, comme moi quand je dois donner un concert de piano. Maman doit essayer de le calmer, de le rassurer; elle doit lui dire que ça va bien aller, que le public va le trouver bon, va l'applaudir et l'aimer beaucoup. Oh! que j'aimerais être avec lui et lui dire qu'il est le meilleur... J'aimerais l'embrasser et le serrer de toutes mes forces dans mes bras. Je sais que le spectacle de ce soir est très important. Et même s'il y a des musiciens avec lui, il va être quand même tout seul sur la scène... Oh! qu'il doit avoir peur de se tromper, de rater un numéro ou une chanson. Que les gens ne le trouvent pas drôle, qu'ils ne rient pas, qu'ils sortent de la salle... Papa, je t'aime très fort et je pense à toi. Papa, je t'aime très fort et je pense à toi. Papa, je t'aime très fort et je pense à toi...

J'ai plus tellement faim, j'ai l'estomac à l'envers. Je picosse ce qu'il y a dans l'assiette du bout de ma fourchette, en attendant qu'on puisse se lever de table. Mes amis remarquent mon manège et, discrètement, me demandent ce qui se passe.

– Mon père donne un gros spectacle ce soir, c'est très important et j'arrête pas de penser à lui.

– Penses-tu qu'il est nerveux?

– Oui, pis il doit pas avoir faim lui non plus.

– C'est quel genre de spectacle?

– Il chante, il fait des numéros comiques, il fait des imitations...

– Comme toi?

– Oui. Mais en meilleur...

– Wow! Écœurant!

Après le souper, nous allons dans la salle de récréation et les autres pensionnaires continuent de me questionner. Ils connaissent vaguement le nom de mon père, un peu plus celui des Jérolas. Je leur explique que, pour papa, le spectacle de ce soir est une sorte de test, comme les examens que nous passons à la fin de l'année: s'il réussit, ça veut dire qu'il va continuer de faire des spectacles et qu'il va être très content mais s'il rate, ça veut dire que le public ne l'aime pas tellement et qu'il va être très triste. À la demande générale, je chante des extraits des chansons de papa, j'imite son chef allemand ou Elvis, les professeurs, nos personnages de télé préférés comme *Grand Galop* et *Petit Trot*, *Squidly Diddly*, l'agent *Sans-secret* et *Morocco*, je fais le bouffon et, peu à peu, ma nervosité disparaît. Je me sens mieux, j'ai du plaisir à les faire rigoler, à les impressionner, jusqu'à ce que sœur Denise nous dise qu'il est l'heure d'aller se coucher.

Le lendemain, en sortant de mon cours de piano, j'aperçois un papier collé sur ma case. C'est une note de la directrice qui me demande de passer à son bureau. Èye! C'est pas moi qui a mis le feu à la relique de Mère Marie-Rose! Pis, à part ça, elle est pas supposée éteindre les feux, elle? Je me traîne les pieds jusqu'au bureau de sœur Gilberte qui me reçoit, un petit sourire en coin.

– Appelle ta mère, Jean-Marie.

Gulp! Pour que j'aie à téléphoner à ma mère de l'école, avec la directrice dans mon dos, c'est que j'ai vraiment fait quelque chose de croche. Mais je m'en souviens pas! Tout en me demandant si j'ai pas un grave problème d'amnésie, je compose le numéro de téléphone.

– Allo, maman? Je te jure que j'ai rien fait! Euh... maman?

– Je sais que tu n'as rien fait, Jean-Marie...

– (Fiouuu...)

– Je voulais juste te dire que papa a été magnifique hier soir.

– Ah, oui? Papa a été bon pour vrai?

– Oh oui, plus que ça même... Tu peux pas savoir à quel point il était extraordinaire et combien le public a aimé son spectacle. Il a même pleuré de joie, tellement il était ému...

Hein? On peut pleurer même quand on est super content? Maman me raconte comment s'est déroulée la soirée et – j'en reviens pas! – elle a la voix qui tremble, elle qui montre jamais ses émotions. On dirait que maman va pleurer tellement elle est super contente elle aussi. Et fière.

– Papa sera déjà parti quand tu vas arriver à la maison cet après-midi, mais il va aller te voir dans ton lit et si tu ne dors pas, il te racontera tout ça lui-même.

Tu parles! que je dormirai pas! Elle est comique, ma maman... Je la remercie d'avoir pensé à m'appeler, je raccroche le téléphone et je regarde sœur Gilberte.

– Vous le saviez, que mon père avait donné un bon spectacle?

Elle me sourit et m'envoie rejoindre mes amis dans la cour de récréation. Des fois, elle me fait un peur, sœur Gilberte, avec ses yeux sévères. Mais dans le fond, les sœurs sont capables d'être cool elles aussi!

J'suis un peu nerveux mais j'ai surtout hâte de m'asseoir sur le banc du piano et d'épater papa, maman, mes sœurs et les autres personnes qui assistent au concours-concert. J'adore donner des spectacles, entendre les applaudissements, saluer, recevoir les félicitations. J'ai l'impression d'être un peu comme papa et, si je continue à pratiquer mon piano tous les jours, je serai si bon que quand je serai grand, les gens viendront m'écouter dans des grandes salles de concert, pis je serai une vedette et les filles me préféreront à Guy Sauvé, ma bête noire, mon rival à l'école. Il sait à peine jouer trois notes mais comme c'est l'idole de la 6e année, les filles se pâment dès qu'il éternue. Fatigant de Guy Sauvé, y m'énerve!

En attendant, je fais semblant de faire des gammes pour me réchauffer les doigts. Le morceau que je dois jouer, le *Prélude n*o 2 de Bach, demande beaucoup de dextérité et il faut que mes doigts soient bien *déliés*, comme dit sœur Violette Blais, mon professeur de piano. Bon, c'est mon tour. Tassez-vous tout le monde, je m'en vais te vous impressionner!

Je joue tellement vite qu'on dirait que mes doigts volent sur les notes, les survolent, les effleurent, les chatouillent. C'est sûr que je vais gagner le concours: j'suis cent fois meilleur que les autres, même papa me l'a dit, après: «Mon fils, t'étais extraordinaire! J'savais que t'avais du talent mais j'pensais pas que t'étais si bon!» Èye, si mon père le dit...

Le jury formé de religieuses et de professeurs de musique annonce les gagnants. Papa et maman me jettent un coup d'œil confiant. Ils vont sûrement vouloir me donner un cadeau pour me féliciter et m'encourager à continuer de bien travailler. Qu'est-ce que je pourrais bien demander? Ah! je le sais: une montre électronique qui s'allume en rouge quand tu pèses dessus! Ouais! C'est ça que j'vais... Hein? Quoi? Qu'est-ce qu'elle a dit, la religieuse? «Deuxième: Jean-Marie Lapointe» Ça se peut pas! J'ai joué bien mieux que la fille qui a gagné le premier prix, mon morceau était bien plus compliqué que la bagatelle niaiseuse qu'elle a tripotée sur le piano. Je regarde papa qui semble encore plus déçu que moi. Et il a l'air en colère, en plus. Moi aussi, parce que je déteste perdre. Surtout quand j'aurais dû gagner... Pendant que mes sœurs me disent que j'étais super bon et que maman m'aide à mettre mon manteau et à ramasser mes affaires, je vois papa s'en aller vers les membres du jury. Je n'entends pas ce qu'il dit, mais il a pas l'air de se gêner. C'est quelqu'un mon père, quand il se choque... Il revient vers nous, encore tout rouge, et nous entraîne dehors en cinquième vitesse. Sur la route, il dit pas un mot, il fume comme une cheminée et maman n'ose pas parler. Mes sœurs et moi non plus. Puis, tout à coup, papa explose!

– M'as t'en faire, moi, «trop vite»! Y jouait pas trop vite, y jouait juste comme il faut. C'est eux autres qui sont trop lents, gang de ϟ★◎●!. Pis j'te gage qu'ils ont puni Jean-Marie parce que son père c'est Jean Lapointe, un artiste de cabaret! T'as vu, maman, comment les profs me regardaient de travers? Entécas, mon fils, c'est la dernière fois que tu participes à ces concours stupides de tatas de ϟ★◎●!. Des plans pour que ça te décourage! T'étais le meilleur, mon Tit-homme, pis qu'y en ait pas un qui ose venir me dire le contraire, je l'étrangle avec les cordes du piano!

Maman s'est enfermée dans le bureau de papa, croyant que je l'entendrais pas. Mais sa colère passe à travers la porte. Elle engueule papa au téléphone. Je comprends pas très bien les mots mais je reconnais le ton. Depuis quelque temps, elle a presque toujours ce ton-là lorsqu'elle lui parle.

C'est le silence maintenant. J'attends un peu, pis je tourne la poignée de porte qui est à la hauteur de mes yeux. Maman est assise dans la chaise à roulettes de papa et elle regarde dans le vide. Le téléphone est décroché et traîne dans un tiroir du gros bureau brun. Je reconnais aussi cette expression sur le visage de maman. Après quelques secondes, elle m'aperçoit et, sans un mot, pose sur moi un regard triste et découragé.

– Papa a rechuté, hein?

De la tête, elle me fait signe que oui. Puis son regard replonge dans le vide.

Ma vie ne tient qu'à un fil. J'ai fait tout un mauvais coup à l'école, j'ai été attrapé la main dans le sac et j'attends que le ciel me tombe sur la tête, ou que mes parents l'apprennent, ce qui revient au même: j'ai douze ans et je suis un homme *mort*! Depuis que j'ai passé une heure à me faire royalement réprimander par le directeur du Collège Notre-Dame deux semaines plus tôt, je profite de ma période de probation pour savourer ma liberté avec mes copains Martin Leduc et François Héon. Martin, qui lui aussi s'est fait prendre les culottes baissées, s'en est sorti en inventant une autre raison pour faire signer à son père un papier affirmant que son fils ne le referait plus... François, bien que sympathisant à notre cause, ne s'est pas mouillé, ou si peu; il s'en est sorti indemne.

Après avoir passé mon samedi après-midi à faire du *skate-board* avec mes deux chums, je rentre à la maison pour me faire apostropher par un «Veux-tu bien me dire ce qui se passe au Collège, Jean-Marie!» crié par ma mère qui m'attend dans le salon. Enfer et damnation, je suis fait... Je ne regrette rien, j'ai eu une belle vie, de bons copains, je n'ai peut-être pas connu l'amour mais y paraît que, de toutes façons, les filles c'est juste un paquet de problèmes...

– Allez, réponds! Qu'est-ce que t'as encore fait?

– Ben... ben... S'cuse-moi maman, je le ferai plus...

– Tu ne feras plus *quoi*?

– Ben... voler des capotes pis les revendre aux pensionnaires du Collège...

– Quoi? T'as volé des capotes? En plus!

– Hein?

– Le directeur vient de m'appeler pour me dire que t'as des mauvaises notes et tu voles par-dessus le marché!

Non mais, ça s'peut-tu être chanceux de même?

Avec une dizaine de copains, j'avais mis sur pied un réseau de contrebande de capotes que je revendais, avec profits, aux pauvres pensionnaires qui pouvaient enfin s'exprimer en toute propreté sans que les Frères du Collège puissent en trouver traces aux petites heures du matin... J'étais le *Robin des draps*, le *Thierry la fronde en caoutchouc*, le *Sperman des bananes*! Et je n'étais pas qu'un receleur sans scrupules; ayant été pensionnaire moi-même, je connaissais très bien les élans nocturnes qui pouvaient assaillir mes petits camarades... Pour ma première année au secondaire, je n'avais franchement pas raté mon entrée!

Ça faisait déjà deux ans que j'explorais ce plaisir solitaire «qui rend sourd», comme disaient les religieuses. Pour ce qui est de la surdité, on repassera: je pouvais reconnaître à dix rangées de lits plus loin le couinement typique du lit qui entre en action. Et ce n'était pas long qu'un concert de *springs* de matelas l'accompagnait en sourdine dans le dortoir... Car, dès que l'un de nous apprenait qu'un poignet pouvait servir à autre chose qu'à faire un tir dans le haut du filet, il faisait part de sa découverte à trois ou quatre copains. Puis, les trois ou quatre copains s'en vantaient à trois ou quatre autres copains avides de connaissances, et ainsi de suite. Le concept de la pyramide a dû naître dans un dortoir...

Je m'étais empressé de raconter ma découverte à papa dès que j'avais mis le pied dans la maison le vendredi suivant. «Papa! J'me suis crossé!» J'étais fier de mon accomplissement, d'autant plus que plusieurs mois auparavant, ma niaiseuse de sœur Maryse m'avait lancé, en guise d'insulte: «Ah, pis va donc te masturber!». Me *quoi*?

– Maman! Maryse m'a dit d'aller me masturber...

– Maryse!

– Ben quoi?

– On dit pas ça, ces mots-là.

Pendant que ma sœur, après m'avoir envoyé une taloche par la tête, se sauvait en courant, j'étais revenu à la charge.

– Maman?

– Quoi, Jean-Marie?

– Je sais toujours pas ce que ça veut dire, «se masturber»...

– Tu demanderas à ton père...

Quelques heures plus tard, je m'étais rendu dans le bureau de mon père d'un pas déterminé. Son petit nez était plongé dans sa collection de timbres étalée devant lui.

– Papa?

– Mmm...

– Ça veut dire quoi «se masturber»?

À lui voir l'air ahuri, je savais que j'avais capté son attention...

– Euh... ben... Jean-Marie, euh... Hum... en... ça veut dire se crosser.

– Euh... O.K., mais... ça veut dire quoi «se crosser»?

– Ben... ben... Mon fils, ça veut dire se pogner le cul, câlisse!

– Ah bon?

J'étais retourné dans ma chambre, guère plus éclairé. Me *pogner le cul*, c'était ce que je faisais à longueur d'année à l'école, selon mon père... Il devait y avoir une différence qui m'échappait (pas pour très longtemps: mon père a fait mon éducation sexuelle quelque temps plus tard, dans le même bureau orange, avec des cassettes vidéo à l'appui... Nous avions un code pour ce type d'activités: on s'en va regarder nos *films de Luc*... C'est un subtil, mon papa!).

Bref, nous volions des capotes depuis deux mois, les revendions, et avec les profits, nous achetions des bonbons, des nananes, des bébelles. Nous étions assez habiles de nos mains mais pas tellement de nos cervelles: nous volions toujours dans la même pharmacie... Chez Deguire, au coin de Queen Mary et Côte-des-Neiges. Bravo, les p'tits gars... Dans nos petits souliers devant le directeur du Collège, nous avons avoué notre faute, tout en mentant sur le nombre de capotes volées, surtout qu'il fallait rembourser la pharmacie... J'ai admis, tout piteux et bourré de remords (bof!) que j'avais volé pour 15 $ environ, mais je m'étais mis bien plus riche que ça. Tant qu'à se prendre pour Arsène Lupin, autant que ça en vaille la peine. Mon problème n'était pas de rembourser le pharmacien, mais bien d'obtenir le papier signé par mes parents. Je crois bien que c'était la première fois que je trouvais un avantage à ce que papa soit en tournée la plupart du temps...

Et voilà que maman me pogne à tout avouer par pur hasard... Tu parles d'un karma!

Le lendemain, je me retrouve (encore!) dans le maudit bureau orange de papa. J'ai fait mon testament, je lègue tous mes jouets et mes B.D. à Martin et rien à mes fatigantes de sœurs, sauf un toutou à Babette, ma préférée, qui ne dit jamais un mot... Pour le moment, papa non plus d'ailleurs. Il fixe, les sourcils froncés, les mains croisées sur ses cuisses. Voyons, qu'est-ce qu'il attend? C'est ben long... C'est de la torture mentale qu'il fait... J'en peux plus: je me jette à l'eau.

– Vas-tu me donner une fessée?

– Non, mon fils.

Yes! que je crie dans ma petite tête. Yes sir! J'ai envie de faire une danse de la joie sioux ou un triple *salto* avant, mes petites fesses se détendent, je suis sain et sauf. Comment ça se fait donc, d'ailleurs? Y a une attrape, c'est certain. Peut-être que papa trouve mon arnaque comique, finalement, compte tenu des mauvais coups qu'il faisait lui-même gamin. Ça doit être ça...

– Jean-Marie, un menteur, c'est un voleur, pis un voleur, c'est un menteur.

C'est pas ça.

Son regard est braqué sur moi. C'est plus que de la colère que je lis dans ses yeux, c'est de la fureur. Une fureur froide, dure, contenue.

– Pis quand tu mens aux autres, Jean-Marie, tu te mens à toi-même. J'aurais jamais, jamais pensé que tu ferais quelque chose comme ça. Jamais!

Sa voix gronde, son visage est rouge. Je n'ai jamais vu mon père comme ça. Un volcan sur le point d'entrer en éruption. Quoi? Qu'est-ce qu'il vient de dire? Qu'il a honte de moi? Non, papa. Je suis toujours ton petit Jean-Marie qui peut être si gentil même s'il est tannant des fois. Papa, je le referai plus jamais. Je ne volerai plus, juré, craché, promis. Mais je suis incapable de dire un mot tant j'ai de la peine. J'ai déçu mon père. Mon père est déçu de moi. Et il continue à parler d'honnêteté, de franchise, de son père à qu'il n'aurait jamais imposé une telle humiliation. Je voudrais disparaître dans le plancher, fondre dans le tapis, m'évaporer. Je me mords les lèvres pour ne pas pleurer.

Il continue de parler, mais la colère fait lentement place à un ton plus sérieux. C'est la première fois qu'il s'adresse à moi comme ça. Comme à un homme.

– Mais veux-tu ben me dire pourquoi t'as fait ça?

– Ben pour le fun, le trip. Pour niaiser.

– Ben y a un temps pour niaiser, pis y a un temps pour travailler, pour réfléchir, pis être responsable. Là, t'es pus un p'tit garçon, Jean-Marie. J'aurais pu t'donner une fessée mais t'es assez grand pour que j'te dise les vraies affaires. As-tu bien compris ce que je t'ai dit?

– Oui, papa.

– Tu peux sortir.

Je quitte le bureau penaud et en même temps troublé. J'ai fait de la peine à mon père mais, malgré sa déception et sa colère, il m'a parlé d'égal à égal. Ce qu'il avait à me dire était pénible à entendre, mais le message a passé cent fois mieux que s'il m'avait puni.

Plus tard dans la semaine, papa est revenu sur le sujet.

– Est-ce que tu réfléchis toujours à ce que je t'ai dit?

– Oui, papa. Pis toi, es-tu toujours déçu de moi?

– Ben non, c'est pas si pire. *Capote* pas avec ça...

Je vous le jure!

– Jean-Marie, irais-tu me chercher une bière?

Papa m'envoyait souvent chercher sa bière au frigo, en cachette de maman. J'avais six ou sept ans. J'étais tout content de rendre service à mon père... Pourtant, j'étais déjà conscient à cet âge-là que papa + une bière = un papa très différent. Un jour, je lui avais d'ailleurs demandé: «Pourquoi tu bois pas avec maman ou avec nous autres?» Et il m'avait répondu: «Tu vas comprendre plus tard mon fils...». Je le regardais donc boire tristement sa bière en quelques secondes. Il buvait devant son fils la bière qu'il l'avait envoyé chercher en cachette...

Pourquoi se cachait-il pour boire? Pourquoi devenait-il si différent après quelques bières? Pourquoi maman se mettait-elle en colère ou fondait-elle en larmes? Tant de questions qui m'angoissaient. Et je culpabilisais vaguement puisque je me savais parfois être le complice de cette situation; j'étais le «livreur sympathique de bouteilles de bière», le «p'tit Jean-Marie qui fait plaisir à son papa»...

Je me rendais compte aussi que dans ces moments-là, l'équilibre familial devenait précaire. J'ai toujours associé les membres de ma famille aux éléments d'un mobile suspendu au-dessus du lit d'un enfant. Tant que papa était sobre, le mobile se tenait en équilibre, présentait de jolies couleurs, tournait doucement au rythme de notre bonne humeur. Mais, du moment que papa buvait, le mobile se débalançait et devenait si fragile qu'il aurait pu se casser. Alors, j'en voulais à mon père de mettre en péril l'équilibre rassurant de mon mobile lumineux.

Un jour, maman l'avait surpris une bière à la main, caché dans son bureau. Furieuse, exaspérée, elle avait rassemblé les quatre enfants, nous avait traînés dans le bureau, plantés devant notre père et avait déclaré très fort:

– Regardez bien les enfants, votre père boit sa bière!

Papa, honteux, l'esprit embrumé, avait levé vers nous un regard d'une tristesse infinie. Je voulais sortir de la pièce, je ne supportais pas de voir mon père embarrassé, au bord des larmes. Maman m'avait retenu au moment où je me sauvais.

– Oh non, toi, tu restes! Regarde ton père!

Et nous étions restés là à regarder notre père boire sa bière en pleurant. Il n'avait dit qu'une seule chose:

– Marie, tu viens de me marquer pour le restant de mes jours...

Ces quelques minutes m'ont hanté pendant des années et me hantent encore, d'ailleurs. J'en ai longtemps voulu à ma mère d'avoir ainsi humilié mon père, jusqu'à ce que je comprenne, des années plus tard, pourquoi elle l'avait fait. Pourquoi, en certaines occasions, elle se servait de nous pour secouer mon père, pour le confronter à son problème de consommation d'alcool. Ma mère, comme n'importe quel conjoint d'alcoolique, en arrivait à utiliser n'importe quel moyen pour faire cesser toute cette souffrance.

Une de mes plus grandes peurs d'enfant était qu'un soir, un policier se présente à la maison, que maman lui ouvre la porte et qu'il nous annonce la bien triste nouvelle... Que papa, complètement soûl, était mort dans un accident de voiture... Que de nuits blanches j'ai passées dans ma chambre à pleurer, à prier le Petit Jésus de protéger mon père.

Chaque fois que papa était en rechute, je le savais, juste à la tension qui flottait dans la maison. Je n'avais pas besoin de le voir paqueté, ni que maman me le dise, je le percevais: mon mobile se mettait à battre de l'aile...

Un samedi après-midi de septembre, je reviens à la maison après avoir joué toute la journée chez Martin. Le vent est si fort qu'il plie les branches des arbres, éparpille les feuilles et gonfle mon léger manteau, me donnant l'impression d'être un gros ballon prêt à s'envoler. À quelques pas de la maison, je m'arrête brusquement: on dirait qu'une tornade est passée par notre cour. Les chaises pliantes ont culbuté, les vélos traînent par terre, les tiges des fleurs mortes sont cassées. Mais ce qui me bouleverse particulièrement, c'est de voir, entraînant avec lui la table de jardin, le parasol jaune pendu à la clôture, sursautant au moindre coup de vent. Je n'aime pas cette image. Ce n'est pourtant qu'un parasol renversé mais j'ai sept ans, et j'ai peur.

J'entre à la maison, je descends au sous-sol et là encore, tout est sens dessus-dessous. Des canettes de bières et des bouteilles d'alcool vides jonchent le plancher et je dois faire attention pour ne pas marcher sur des tessons de verre. J'ai l'impression d'être tout seul dans la maison. Je m'enferme dans ma chambre pendant des heures et j'ai envie de pleurer. Dans la soirée, en silence, maman fait disparaître les dégâts qu'elle a elle-même causés dans un moment de colère. Je ne sais pas où est mon père.

Le lendemain, pendant que grand-maman Poulin tente de me tenir occupé dans ma chambre, j'entends mes parents se chicaner dans la pièce à côté, bien qu'ils contiennent leurs éclats de voix. Grand-maman quitte ma chambre et j'en profite pour regarder ce qui se passe par l'embrasure de la porte. Je vois passer papa dans mon champ de vision, une valise à la main, suivi de maman qui semble avoir abandonné tout espoir de le retenir. Toujours caché derrière la porte, je me dis: «Mais non! Il ne peut pas partir tout seul, il est malade... Il ne faut pas qu'il parte! S'il s'en va, je ne le reverrai plus jamais!»

Je descends l'escalier aussi vite que je le peux. Papa se tient dans l'entrée de la maison, sa valise à ses pieds. Il embrasse ma mère et s'apprête à sortir. Je me précipite vers lui et, en sanglotant, à genoux, je le supplie de ne pas partir. Il me regarde et me dit lentement, presque dans un souffle:

– Papa est malade, Jean-Marie, il faut que j'aille me reposer en Floride...

– Non, va-t-en pas, papa!

– Mais j'suis fatigué, Jean-Marie, tellement fatigué...

– Ben, si t'es fatigué, prend une vitamine avec un grand verre de jus d'orange, comme moi j'fais tous les matins. Mais va-t-en pas, papa!

Il s'effondre, en larmes. Il me prend contre lui et me sert de toutes ses forces. Dans ses bras, je me sens tout petit, fragile, et je perçois sa douleur, sa culpabilité, son amour. Je voudrais tellement l'aider! Après plusieurs minutes, il se détache de moi, se relève lentement et emporte sa valise – qui semble peser dix tonnes! – dans sa chambre.

Je l'ai retrouvé plus tard dans la cuisine. Il buvait un jus d'orange.

Quelques jours plus tard, il était parti en cure de désintoxication.

CHAPITRE 4

T'as deux oreilles et une seule bouche.
Ça veut dire qu'il faut que tu écoutes deux fois plus que tu parles!

Papa

Quelle belle journée! Je me suis levé vers six heures, me suis préparé un bon café fort et je prends l'air dehors depuis une heure. Les rayons de soleil effleurent les branches des arbres qui surplombent le chalet et transpercent la brume matinale. J'aperçois quelques canards sauvages qui font trempette sur le lac à cinquante pieds de moi. Ça me rappelle un peu Austin, la maison de campagne que mes parents possédaient dans les Cantons-de-l'Est et que papa a vendue il y a quelques années lors de sa faillite personnelle. J'aimais me lever tôt pour observer le héron bleu s'envoler à l'autre bout du petit lac, les chevreuils gambader près des pommiers, le castor ramasser ses bouts de bois pour son barrage qu'on démolissait avec la même assiduité qu'il mettait à le construire... Maman avait installé toutes sortes de mangeoires à oiseaux autour de la maison et il m'arrivait parfois de voir un raton-laveur se gaver de graines de tournesol. Elle avait aussi adopté six malards et quatre oies qu'elle chouchoutait comme des animaux de maison. Ils passaient l'hiver dans une petite grange et lorsqu'arrivait le printemps, c'était tout un spectacle de les voir enfin étirer leurs ailes, s'ébattre et se précipiter sur le lac à moitié gelé. Si j'en avais eu les moyens, j'aurais acheté Austin; j'adorais cette maison, ce terrain, les canards qui venaient manger dans ma main, non seulement parce que c'était la maison de ma mère et qu'elle y avait passé ses dernières années, mais aussi parce que c'était le petit coin de paradis où se réunissait ma famille et que j'aurais aimé préserver ce cocon familial.

Je rentre dans le chalet, je prends une grande respiration et je décide d'aller réveiller papa. Du coup, je revis une des pires terreurs de mon enfance... J'entends encore maman me dire: «Jean-Marie, va donc réveiller ton père...» et mon estomac se transforme en nœud coulant. Les «douze travaux» d'Astérix, c'est un pique-nique comparé à réveiller mon père. Pourquoi? Avez-vous déjà tenté de réveiller un ours en pleine sieste digestive? Un alligator qui ronfle la bouche ouverte? Papa qui se réveille, c'est un tyrannosaure qui pousse un grognement sismique, fait un saut de crapaud et, les yeux exorbités, se demande s'il va t'avaler tout rond ou te fumer au BBQ. Un cauchemar...

J'entrouvre la porte doucement, doucement... Pas un bruit! Mais l'ogre est là, tapi sous les draps. Je m'approche lentement, retenant mon souffle. «Vas-y, Jean-Marie, t'es capable!» Je suis à trois pas du lit... À deux... À un... Quelques gouttes de sueur perlent sur mon front... Je me penche sur l'oreiller et murmure le plus bas possible, pour ne pas le réveiller: «Papa?...» Aucune réponse... «Papa, c'est l'heure...» Silence... Et au moment où je me résigne à lui secouer l'épaule, est-ce Brel que j'entends chanter *Adieu l'Émile, je t'aimais bien...*?

– C'est correct, Jean-Marie, je dors pas.

– Aaaaaah! Fais-moi plus jamais ça, papa! Tu parles d'une farce plate!

Après m'être remis de mes émotions, je retourne dans la cuisine, suivi de l'ours mal léché édenté – évidemment! – en camisole molle et caleçons mi-longs. Je n'ai jamais vu papa sans sa camisole blanche... D'aussi loin que je me souvienne, il a toujours porté cette sempiternelle camisole blanche, beau temps, mauvais temps, envers et contre toutes les modes. On dirait une sorte de talisman... Une question d'éducation, de restant de vent frisquet de sa Gaspésie natale ou de simple habitude. Il s'assoit à la table, je lui sers son café à l'eau de vaisselle qu'il épice de trois cuillerées de sucre et d'une pinte de lait pas très écrémé, et je m'attends à ce qu'il ne dise pas un mot avant d'avoir avalé sa huitième tasse. J'ai même placé le journal de la veille devant lui pour reproduire son rituel matinal...

– Ouais, pas pire ton café, y est pas trop fort.

Ciel! Il parle! Il ne grogne pas, ne marmonne pas, il parle! Mes sœurs ne me croiront jamais!

Pendant qu'il feuillette pour la troisième fois le journal de la veille, je prépare le lunch – quelques sandwiches, plusieurs desserts (ce n'est pas ce qui manque), – puis je suggère que nous passions à l'action. Nous ne nous habillons pas trop chaudement car le temps est doux, nous ramassons nos affaires et vérifions s'il nous manque quelque chose.

– Alors, papa, on est prêt, on a tout ce qui faut? Hameçons?

– Check!

– Vêtements de rechange?

– Check!

– Thermos?

– Check!

– Bouffe?

– Check!

– Cigarettes?

– Check!

– Tes dents?

– Check-moi la face!

Claude nous attend à l'autre bout du lac. Nous prenons notre chaloupe à moteur. *Pout, pout, pout*... S'cusez, les canards... Je jette un coup d'œil à papa et je me retiens pour ne pas éclater de rire: chapeau mou, vêtements lousses, grosses bottes flasques, les dents, les cigarettes, le café... Un athlète, quoi!

Claude nous accueille dans son gros bateau tout équipé, amarré au quai.

– Bonjour Claude, bien dormi?

– Très bien merci, pis vous, monsieur Lapointe?

– Oui, oui, pas pire. J'peux-tu enlever mes dents?

– Pardon?

– Oui, mes dents, j'peux-tu les enlever? Pis tu m'appelles Jean et on se tutoie, O.K.?

Claude me regarde, interloqué... Cré papa! Quand je disais que ses dents, c'est un *running gag*...

On se promène un peu, Claude évalue les *spots*, nous raconte des anecdotes de pêcheurs, mais on ne rit pas trop fort pour pas faire peur aux poissons. Dès le troisième lancer de la ligne, ça mord! Tout excité, papa donne un coup pour accrocher le poisson, mouline sa ligne pendant que je manie l'épuisette en suivant les conseils de Claude.

On a peur de le perdre, il se démène, on a chaud, suspense... Et vlan! Tout ça pour un crapet! Pauvre petite bête... On la rejette à l'eau et on repart. On aurait pêché un saumon de 40 livres qu'on aurait pas eu plus de fun!

Autant papa peut faire une crise de claustrophobie sur le traversier de Tadoussac, autant il est dans son élément sur un petit bateau de pêche, dans la nature, le calme, le silence. Je l'ai rarement vu aussi détendu. Je le sens heureux, déstressé, sans arrière-pensées. Il est bien, cigarette au bec, une canne à pêche dans les mains, les yeux rivés sur l'eau. Juste pour cette image, le voyage en valait la peine. Il tripe à voir un canard s'envoler, s'émerveille de découvrir un coin poissonneux. Papa, zen et reposé, «c'est aussi rare que de la marde de pape», comme disait maman... Les téléphones cellulaires ne fonctionnent toujours pas et papa s'en fout. Normalement, avec toutes les phobies qui l'accompagnent où qu'il aille, il serait en train de faire une méchante crise de panique. Mais non. Il est aux anges. Ça mord en masse et si après 15, 20 minutes un coin ne se révèle pas poissonneux, nous en explorons un autre.

Je raconte à Claude la fois où j'ai pêché, à mon grand étonnement une anguille. J'avais huit ans et l'anguille était presque aussi longue que moi... «Papa, papa! J'ai pêché un gros serpent! C'est... c'est-tu normal?» Papa se tordait de rire, l'anguille se tordait, point, et moi, j'essayais de rester en équilibre sur le bateau. Èye, ça tire une anguille, pis c'est laid à part ça!

– Et te souviens-tu papa, quand j'ai pêché mon premier saumon?

S'il s'en souvient? Ç'a été un de ses grands moments de fierté paternelle... J'avais 18 ans et mon père m'amenait à la pêche pour la deuxième fois. Je l'avais accompagné à un spectacle en plein air auquel il participait, à Québec.

Entre deux grosses caisses de son, j'avais entendu Bertrand Petit, son directeur scénique et régisseur, lui dire le montant du cachet qu'il recevrait pour sa prestation. Hein? Mon père gagne tout cet argent pour trente minutes sur une scène? Ayoye! Je réalisais soudainement que mon père était vraiment une énorme vedette. «He's big! He's number one!» Après le spectacle, nous étions partis, Bertrand, son fils, papa et moi, pour Sainte-Anne-des-Monts où nous avions réservé un chalet pour deux jours. Papa m'avait dit que ça lui avait pris des années avant de pêcher son premier saumon et, lorsqu'enfin il en avait eu un au bout de sa ligne, il avait pleuré de joie.

– Pis toi, p'tit baveux, à ta première journée, t'en pogne un! Pis pas une p'tite patente de trois pouces, non... un beau gros saumon de 15 livres!

Je revois encore papa tout énervé lorsque je lui ai crié que ma ligne tirait... Pendant vingt minutes, je m'étais débattu contre le saumon et contre le courant, sous les conseils probablement judicieux de papa, mais dictés avec tant d'excitation que je n'y comprenais rien... «Ramène la ligne! Mouline! Mouline pus! Envoye, mouline donc!» Ça n'a peut-être pas 140 de quotient, un saumon, mais quand ç'a une idée dans la tête, ça l'a pas dans les pieds (La queue? La nageoire? Les ouïes?)! J'étais impressionné par la force du poisson, j'étais essoufflé, je transpirais à grosses gouttes. Et papa qui n'arrêtait pas de sauter dans l'eau! Lorsqu'enfin, papa avait saisi le saumon avec sa puise, il s'était écrié: «Câlisse! On n'a pas de *kodak*!».

– Pis pour une fois, tu pleurais pas!

– Qu'est-ce que ça veut dire, ça?

– Rien, rien papa...

Cette fin de semaine-là, le guide avait lui aussi accroché un saumon et avait laissé papa le pêcher, mais j'avais été le seul à en avoir pogné un tout seul, par moi-même. Mon père était peut-être un *big shot* sur une scène mais moi, j'étais *number one* sur une rivière... À ma première tentative en plus!

Ed Prévost, le père de mon ami Mark, nous avait inscrits tous les deux à des cours de hockey donnés très tôt les samedi et dimanche matins. Nous avions environ 7 ans. Le premier samedi, papa m'amène à la patinoire en me donnant toutes sortes d'instructions. Dans le vestiaire, j'enfile un équipement beaucoup trop grand pour moi et je me lance sur la glace. Vouiii! Je patine si vite que j'ai l'impression d'être vingt fois plus rapide que le Canadien au complet. Je traverse la patinoire à toute vitesse d'un bout à l'autre, sous le regard épaté de papa qui saute dans les airs tellement il est excité. Il est impressionné de voir son petit Jean-Marie, maigre comme un clou et croulant presque sous son habit de hockey, qui patine à une vitesse folle. Un futur Jean Béliveau... Il y a juste un petit problème: je patine naturellement vite, mais pour ce qui est de freiner... Il n'y a que la bande pour m'arrêter... Bang! La première fois, je me dis: «Bon, c'est pas grave, je débute, j'vais y arriver.» Mais tout ce qui arrive, c'est la bande, de plus en plus vite, dans ma petite face... Bang! Je défonce le mur du son... Bang! Et papa qui espère chaque fois que je vais freiner ou que je vais contourner la bande... Bang! Je ne sais pas si c'est parce que ses espoirs s'étaient évanouis aussi rapidement que mes traversées de bord en bord de la patinoire, ou à cause des bleus qui me recouvraient de bord en bord après cette première leçon de hockey, mais papa ne m'a plus jamais amené à mon cours. Et comme maman n'avait pas encore son permis de conduire, ce fut la fin des cours de hockey. Par après, pendant des années, j'ai été gardien de but dans l'équipe à l'école (j'avais appris à freiner, mais un gars averti en vaut deux). Pourtant, papa ne m'a jamais revu sur une patinoire.

J'ai eu cinq saisons de football, au Collège Notre-Dame et au cégep André-Grasset. À ma cinquième saison à Grasset, j'étais receveur de passes. Même si nous n'avions pas gagné une seule partie de l'année, j'avais eu du fun car je savais que c'était ma dernière saison de football à vie.

Nous jouons notre dernière partie contre le cégep Maisonneuve sur le terrain de l'Université de Montréal. C'est la dernière fois que j'enfile mon équipement de football. La dernière fois que j'affronte l'adversaire. La dernière occasion que j'ai de faire un beau jeu. Les estrades sont pleines à craquer. Et papa s'est déplacé, probablement parce que Catherine le lui a demandé.

Je joue sur l'unité qui botte le ballon au troisième essai. J'arrive en retard sur le jeu mais j'aperçois un adversaire qui s'en vient avec le ballon. Je me précipite donc sur lui et au moment où je vais le plaquer, j'entends des estrades quelqu'un crier: «Envoye! Pince-lé!» Je reconnais la voix de mon père. Cette voix que j'ai entendue des centaines de fois hurler des conseils, des ordres ou des bêtises à des joueurs de baseball ou de hockey, me crie quelque chose, *à moi*... Comme à un vrai joueur, comme s'il me prenait au sérieux... «Envoye! Pince-lé!» Un cri du cœur, un encouragement de spectateur concentré sur le jeu et sur les joueurs... Je l'imagine se levant dans l'estrade, comme je l'ai vu faire au Forum ou au stade, tout absorbé par le jeu que son fils prépare. Je suis tellement surpris et ému... que je fige sur place! Le joueur de l'équipe adverse me passe sous le nez et sous les huées des spectateurs... Je me pince pour me réveiller et la première pensée qui me vient ensuite à l'esprit, c'est «Voyons, qu'est-ce qu'il avait d'affaire à me déconcentrer comme ça, lui!». Embarrassé par ma piètre performance, je retourne au banc, perdu dans mes pensées. J'entends constamment le «Envoye! Pince-lé!» de mon père et je suis tiraillé entre l'envie de lui sauter au cou pour le remercier d'être venu m'encourager et celle de l'étriper pour m'avoir dérangé ainsi...

Je sais que papa n'a pas assisté à toute la partie – nous avons perdu genre 42-20... – mais je n'ai jamais su s'il était resté jusqu'à la fin de la première demie. Et s'il n'y était pas, il a raté le plus beau coup de ma carrière sur un terrain de football.

Mon équipe se rapproche de la ligne des buts, je parviens à me démarquer, je suis seul, le quart-arrière me lance le ballon et je fais un *catch* extraordinaire comme les pros réussissent à en faire quelques fois dans toute une carrière. Un ostifi de catch! Je m'en souviendrai toute ma vie. Je vois le ballon... Il est inatteignable mais je plonge, je l'attrape à bout de bras et je roule sur moi-même, le protégeant contre mon corps comme une lionne protège son petit. L'équipe se lève en hurlant, nos partisans se déchaînent, les *cheers leaders* pirouettent et, avec ce touché, nous menons la partie. Pour la première fois... Je me sens le King, l'Elvis du football, le Gretzky du ballon, je ne me sens plus... mais je n'ai pas entendu la voix de mon père. Est-ce parce qu'elle s'est noyée parmi celles des spectateurs ou parce qu'il a compris que son hurlement précédent m'avait déconcentré? Néanmoins, je flotte sur le terrain, entouré par la défensive dépitée et... le jeu est refusé! Comment ça, «refusé»? Qui est l'imbécile qui a décidé que c'était refusé? Comment peut-on me refuser le plus beau coup de ma vie? Le juge, un Anglais, considère que le ballon a touché le sol et que je me suis servi du rebond pour l'attraper. Voyons donc! Mais il est malade! C'est son cerveau qui a rebondi ou quoi? Même le demi-défensif de l'équipe adverse me dit que mon touché est bon... Je me suis fait refuser le seul touché que j'ai compté dans ma vie, lors de mon dernier match en plus! Èye! J'exige un référendum! Un coéquipier tente de m'encourager en me disant que la partie n'est pas terminée et que j'ai le temps de me reprendre. Mais je sais qu'une passe pareille, ça n'arrive qu'une fois... Je suis complètement catastrophé. Et je n'entends toujours pas mon père qui, normalement, serait en train d'enligner tous les sacres possibles un après l'autre et jetterait un sort douloureux et mortel au juge... Je n'ai jamais su s'il avait vu *mon catch*; je ne le lui ai jamais demandé, je ne sais pas pourquoi. Peut-être parce que le petit Jean-Marie espérait que son père avait vu le *catch* et qu'il était fier de son fils. Je n'ai jamais osé le lui demander, de peur de briser cette image magique que j'ai imaginée: j'attrape le ballon, je fais un touché et mon père saute sur le spectateur en avant de lui, criant «Yes! Attaboy! C'est mon fils!»

Georges Desjean, le curé du Collège Notre-Dame, m'a donné une croix que je porte toujours sur moi, que ce soit dans une poche ou dans mon portefeuille, depuis près de vingt ans. C'est une sorte de porte-bonheur, ça me rappelle des souvenirs et ça fait partie de ma foi, d'une certaine manière. Je me sens en sécurité avec cette croix sur moi. Elle est toute simple, en bois foncé. Deux petits rectangles encastrés l'un dans l'autre. J'ai même conservé la corde originale qui, aujourd'hui, est pleine de nœuds. Georges faisait lui-même ces petites croix et les donnait aux jeunes qui pratiquaient leur foi avec sincérité ou à ceux qui semblaient en avoir besoin. J'avais 14 ans lorsqu'il me l'a offerte et je lui ai demandé de la bénir devant moi. Ce qu'il a fait. La bénédiction a une signification très particulière pour moi. Mon père, comme son père le faisait avec ses propres enfants, nous réunissait dans le salon, ma mère, mes sœurs et moi, pour la bénédiction paternelle du jour de l'An. Maryse, l'aînée, lui demandait en notre nom de nous bénir pour la nouvelle année qui commençait. On se mettait à genoux devant papa et, d'une voix grave et posée, il remerciait le Petit Jésus de permettre que nous soyons tous ensemble en ce premier janvier, il Lui demandait de nous protéger, de nous donner la santé et d'être à nouveau réunis l'année suivante. Puis, il nous embrassait à tour de rôle et nous donnait un petit cadeau, un peu d'argent ou un billet de loterie. Évidemment, vers 14, 15 ans, mes sœurs et moi avions plus envie de rigoler qu'autre chose durant cette minute solennelle, d'autant plus que maman elle-même pouffait de rire devant le sérieux de papa... Ce rituel tout simple a ponctué mon enfance, mon adolescence et presque toute ma vie d'adulte. Ces dernières années, comme papa passait l'hiver en Floride, nous ne nous sommes tous retrouvés que très rarement pour la bénédiction paternelle, et ça m'a manqué. Alors, quelques jours après le 1er janvier 99, j'ai invité mon père et mes sœurs – «Elles sont les plus belles et les plus fines du monde», comme disait maman – chez moi, un lundi après-midi, pour qu'il nous bénisse. Et nous avons pris l'engagement de nous retrouver chez moi l'année prochaine pour perpétuer cette tradition familiale. Une tradition que je compte bien transmettre un jour à mes enfants.

Un autre geste rituel paternel qui a toujours fait partie de ma vie est le petit signe de croix que papa trace sur mon front chaque fois qu'il m'embrasse. Il le fait avec beaucoup de pudeur et de tendresse. Une autre bénédiction, un autre geste d'amour, d'intimité, de protection aussi. Que je reproduis aujourd'hui sur le front de Josée. Le matin, avant de partir travailler et le soir, avant de me coucher. La première fois que je l'ai fait, elle m'a regardé avec ses grands yeux étonnés d'enfant confiant. «C'est une petite croix de protection, Fouf.» Elle m'a souri et, depuis ce jour, elle me dessine elle aussi des petites croix de protection sur le front. C'est devenu entre nous un rituel précieux qui, pendant une fraction de seconde, me rappelle l'amour de mon père.

J'ai donc porté cette croix de bois à mon cou pendant des années, généralement cachée sous mes vêtements. Je la touchais de temps en temps, pour le plaisir de caresser le bois, pour me rappeler la gentillesse et la générosité de Georges, en souvenir de mes années au Collège ou tout simplement pour me sécuriser. Il s'occupait de la pastorale au Collège et organisait aussi des fins de semaine de spiritualité élargie où on pouvait parler de nos croyances, de l'amour, de nos blondes, des relations entre jeunes ou de celles avec nos parents. Toutes ces activités étaient très optionnelles et aucun jugement n'était porté sur ceux que ça n'intéressait pas.

Georges est la première personne à m'avoir fait comprendre que je n'étais pas obligé d'aller à l'église pour prier, pour croire en Dieu. Mes sœurs et moi avons grandi dans un milieu catholique mais pas nécessairement pratiquant. Nous avons étudié chez les Sœurs du Saint-Nom-de-Marie et plus tard, dans mon cas, chez les Frères de Sainte-Croix. Mes parents étaient croyants, chacun à leur manière. Maman nous emmenait à l'église de temps en temps quand nous étions jeunes; papa chantait parfois à la messe de minuit de Noël et, pendant des années, il nous a traînés avec lui pour faire nos dévotions le Vendredi saint. Il n'a jamais caché son amour pour le Petit Jésus, sa foi l'a supporté lors des moments les plus difficiles de sa vie et je crois sincèrement que, sans elle, il ne serait pas en vie aujourd'hui. Une des plus belles images que j'ai de sa foi, c'est une sorte de portrait du Christ devant lequel mon père s'agenouillait tous les jours pour prier quelques minutes. Ce portrait était accroché dans un coin discret de la chambre de mes parents et parfois, en allant me coucher, je l'apercevais en train d'embrasser tout doucement le portrait. C'est tout. Il ne m'a jamais fait de sermons, ne m'a jamais obligé à prier ou à fréquenter l'église. Mon père vit sa foi simplement, sans achaler personne.

J'ai approfondi ma spiritualité avec Georges, les moniteurs du camp Tekakwitha et les adultes en général. Depuis que je suis gamin, j'ai toujours eu une certaine affinité avec les gens plus âgés que moi pour ce qui est de confier ce que je vivais, mes émotions, mes expériences. J'ai développé plus tard des amitiés plus profondes avec des gars de mon âge tel que Patrick ou Sylvain mais, règle générale, surtout lorsque j'étais jeune, j'avais l'impression que seuls des adultes pouvaient comprendre ce que je ressentais. Probablement parce que je vivais des situations auxquelles mes copains à l'école n'auraient pas pu s'identifier. L'alcoolisme de mon père, mon anorexie, mes angoisses, ma solitude... Les adultes m'écoutaient, me parlaient de leurs propres expériences et j'en tirais beaucoup de soulagement, de confiance et de sécurité. C'est peut-être la raison pour laquelle je suis devenu moi-même quelqu'un qui aime écouter, à qui les gens viennent se confier facilement. On m'a écouté et aidé quand j'étais jeune; j'essaie de faire de même aujourd'hui.

J'ai 18 ans depuis quelques mois. Je passe l'été à m'entraîner pour être en forme en vue de ma prochaine saison de football. Un après-midi, en route pour mon centre de conditionnement physique, au volant de ma voiture, j'attends à un feu rouge. Une voiture se glisse à côté de la mienne et la conductrice me reconnaît; nous avions joué ensemble dans une pièce de théâtre au secondaire. Nous échangeons quelques mots puis, Lorraine me fait signe d'attacher ma ceinture de sécurité. Je la remercie d'un hochement de tête, je place ma croix de manière à ce qu'elle ne me gêne pas sous la ceinture que je boucle aussitôt. Trois coins de rue plus loin, je suis impliqué dans un énorme accident! Le capot se retrouve en accordéon, le pare-brise vole en éclats et ma voiture est presque une perte totale. Je ne suis pas blessé, à part une coupure au cou causée par la ceinture de sécurité qui m'a sauvé la vie...

De la maison d'un bon samaritain, j'appelle mon père pour lui demander de venir me chercher. J'ai les jambes molles, la coupure à mon cou saigne abondamment et j'ai peur que papa m'engueule car il m'a répété au moins mille fois de ne pas conduire en fou, d'être prudent, de me concentrer sur la route, bref, de ne pas faire comme lui... Il a déjà eu quelques accidents d'autos dont un qui l'a presque tué quelques mois avant ma naissance.

– Euh... papa, c'est Jean-Marie. Hum... J'ai eu un petit accident d'auto... En fait, un *gros* accident d'auto... Ma voiture est finie, j'pense...

– Es-tu blessé?

– Non, j'suis correct, une petite coupure... (ça pisse le sang mais je ne suis tout de même pas pour le lui dire tout de suite!).

Il se tait pendant quelques secondes et je m'attends à recevoir le sermon de ma vie. Je l'entends prendre une grande respiration. Oh! que ça va barder...

– Hé! que j'suis content que ce soit toi qui m'appelles...

– Quoi?

– Si ça avait été quelqu'un d'autre, je serais en train de paniquer en /★@💣!. Mais comme c'est toi qui m'appelle, c'est bon signe... Où est-ce que t'es? J'vas aller te chercher.

Je lui dis où me trouver, je m'assois sur le bord du trottoir et je pousse un immense soupir de soulagement. Je suis en vie, papa s'en vient, je serai en sécurité dans peu de temps. Par réflexe, je touche ma croix de bois et je réalise que, si Lorraine ne m'avait pas dit de boucler ma ceinture, je serais pas mal plus abîmé à l'heure qu'il est. Et je crois que c'est ma petite croix qui m'a envoyé cet ange gardien déguisé en ancienne copine de théâtre. Je sais, c'était peut-être simplement une coïncidence, mais je préfère ma version. Je n'ai jamais revu Lorraine. Si elle lit ces lignes, qu'elle se reconnaît et qu'elle me donne un coup de fil, je la remercierai profondément et je lui payerai le lunch de ma vie. Et si elle ne m'appelle pas, je continuerai quand même à croire que c'était vraiment un ange gardien...

Quand j'étais petit, papa me lançait la balle de temps en temps. Nous allions au parc *Mohawk* à Ville Mont-Royal et jouions au baseball, parfois avec quelques-uns de mes amis mais en général, c'était seulement lui et moi. En plein après-midi, il me demandait soudainement si j'avais envie d'aller lancer quelques balles et, évidemment, je répondais «oui». Mais ça n'arrivait pas souvent. J'étais déçu et même jaloux car je me souvenais qu'il avait souvent lancé des balles avec un jeune voisin anglophone, Wayne, avant que je ne sois en âge de le faire. Wayne, qui, enfant, avait eu la polio, était légèrement handicapé d'une jambe et ne pouvait pas jouer au baseball avec les autres jeunes, ce qui avait dû émouvoir mon père. Quand même, pourquoi allait-il aussi souvent jouer au baseball avec Wayne et pas avec moi? Je réalise aujourd'hui qu'il n'avait probablement plus autant de temps libre qu'à l'époque de la fin des Jérolas, mais lorsque tu as cinq ans et que tu vois ton père lancer quelques balles avec le jeune voisin, que tu rêves du jour où tu seras assez grand pour pouvoir faire la même chose et que, finalement, ça n'arrive pas aussi souvent que tu l'avais espéré... tu trouves pas ça juste! Néanmoins, on s'est repris à quelques occasions et ce, même jusqu'à ce que je sois adulte. Même qu'un été, j'ai bousillé sa saison de golf parce qu'il avait forcé son bras en me lançant la balle... Tiens, c'est peut-être la raison de son manque d'enthousiasme à jouer au baseball avec moi...

Nous vivons à Outremont, j'ai 19 ans, et un matin, comme ça, papa me demande si je veux lancer quelques balles avec lui. Revenant de ma surprise, je fouille dans une armoire à la recherche de mes gants et je le rejoins dans la cour. Nous avions un grand terrain qui nous permettait de jouer au ballon, mais nous ne nous étions jamais encore essayé au baseball. Il y avait belle lurette que je n'avais pas eu l'occasion de lui montrer que mon lancer s'était nettement amélioré avec les années. Alors, *show-off,* je lui envoie une superbe balle rapide qui lui passe au-dessus de la tête et atterrit dans la fenêtre de la voisine! Enfin... *atterrir* n'est peut-être pas le mot approprié! La vitre de la fenêtre éclate en morceaux, la voisine pointe un nez assez perplexe, nous nous approchons, plutôt penauds, et nous lui promettons de rembourser les réparations. «Ouais, Jean-Marie, t'as peut-être un meilleur bras que quand t'avais dix ans mais pour ce qui est du contrôle!». Ce fut la dernière fois que papa et moi, nous nous sommes lancés la balle...

J'ai souvent accompagné papa, et parfois maman, à des parties de hockey ou de baseball. Nous partagions une ferveur pour nos deux équipes locales, le Canadien et les Expos. Durant trois étés de suite, je suis allé voir jouer les Expos au stade avec mon père. Ah, le stade! Ah, le stade et ses hot-dogs! Ah, le stade, ses hot-dogs et mon père qui crie, s'énerve, s'excite, déprime, reprend espoir, engueule les arbitres, tout en écoutant en même temps un match de hockey ou de football, sa petite radio portative ploguée dans son oreille gauche... Je profitais des pauses entre deux lancers pour lui raconter mes exploits au football, lui parler de mes blondes, de musique, de cinéma. Je retrouvais, à un moindre degré, l'intimité que j'avais partagée avec lui lorsqu'il m'emmenait en tournée. Le match était un prétexte pour passer quelques heures avec lui : généralement, je ne savais même pas combien d'hommes étaient sur les buts.

Youpi ! J'vais au Forum ce soir avec papa et maman ! À part Dave Brubeck, Jerry Reed et Glenn Gould, les joueurs du Canadien, c'est mes idoles, et mon préféré, c'est Serge Savard, car c'est un ami de papa. Je connais Serge *in-ti-mement* parce qu'il m'a montré son genou enflé comme une citrouille, et mes amis à l'école sont jaloux parce que je visite *ré-gu-lière-ment* la chambre des joueurs avec mon père, et même la chambre des femmes des joueurs avec ma mère, remplie de belles madames blondes qui me font rêver, surtout madame Yvan Cournoyer... Je fais attention à ma collection de bâtons de hockey signés, à la montre *Seiko* et au savon en forme de casque de football que Serge m'a donnés ; je garde précieusement des rondelles, des cartes de joueurs, bref, j'suis un *fan* du Canadien.

Ce matin, en allant chez le barbier avec papa, j'ai acheté deux énormes gommes ballounes à une cenne chaque, une pour moi et l'autre pour Serge. Ce soir, j'vais me pointer dans la chambre des joueurs avant la partie et la lui donner. Il va être content – il mâche toujours pendant la partie – et ma gomme va bien lui durer deux périodes ! Sauf que le problème, c'est que j'ai déjà fini la mienne... J'ai serré celle de Serge dans ma poche mais elle me tente ben gros... Belle, rouge, ronde.. Miam ! Dans ma tête, j'entends deux petites voix fatigantes...

– Non, Jean-Marie, elle est pour Serge !

– Oh, Jean-Marie, avale-la donc! Serge le sait pas que t'as une gomme pour lui et ce qu'on sait pas, ça fait pas mal...

– Jean-Marie, tu l'as choisie pour ton ami Serge...

– Envoye donc, Jean-Marie...

C'est dur, mais je résiste pendant toute la journée et finalement, c'est l'heure de nous rendre au Forum. Dans la voiture, je dis à papa que j'ai gardé précieusement une gomme pour Serge et qu'il faudrait passer par la chambre des joueurs pour que je la lui donne avant le match. Papa me dit qu'on peut pas déranger les joueurs trente minutes avant la partie... Oh! je suis tellement déçu!

– Écoute mon Tit-homme, regarde ce qu'on va faire. Juste avant que commence la deuxième période, on va aller se poster sur le bord de la bande et avant que les joueurs embarquent sur la glace, tu la donneras à Serge.

Wow! Génial! Encore mieux! Serge va être tellement content de me voir sur le bord de la patinoire avec ma grosse gomme... On dirait que la première période dure deux heures tellement j'ai hâte de faire ma surprise à Serge. Et l'entracte? Ça dure pas juste quinze minutes normalement? Les joueurs du Canadien sortent enfin de leur vestiaire. Pour moi, qui mesure à peine cinq pieds, eh! qu'ils sont grands! Des géants! Je les regarde défiler un après l'autre: Pete Mahovlich, Guy Lapointe, Guy Lafleur, Larry Robinson... Voyons, y est donc ben loin, Serge... Ah! le voilà! Tout excité, je sors ma gomme qui a un peu perdu ses couleurs à force de poireauter dans le fond de ma poche, je la tiens à bout de bras... Serge s'approche, s'approche, s'approche... «Serge! J'ai une gomme pour toi!» Et l'énorme gant s'avance comme au ralenti vers ma toute petite main, attrape la gomme et l'enfouit dans la bouche de mon héros. Il fait un tour de patinoire en mâchant MA gomme. Je retourne à mon siège et tout ce que je regarde, ce sont les mâchoires de Serge Savard qui mâchouillent MA gomme! Et... il a une assistance sur un but! Je suis sûr que c'est MA gomme qui lui a donné l'inspiration pour faire cette passe à Steve Shutt qui a compté le but. C'est certain!

– Papa, penses-tu que Serge sait que c'est grâce à ma gomme qu'il a bien joué comme ça ce soir?

– C'est sûr, mon Tit-homme! J'suis convaincu que Serge a raconté à tout le monde que c'est la gomme de *Jean-Marie Lapointe* qui lui a donné des ailes!

Pis mes amis à l'école, eux autres aussi, ils vont le savoir!

J'ai joué à toutes sortes de jeux avec mon père et il me battait presque chaque fois. Par exemple, je ne sais pas combien de fois il m'a planté au ping-pong; j'avais beau pratiquer toute la semaine à l'école mes coups d'attaque, mes *smash*, mes revers, rendu au samedi, il me massacrait de partie en partie. Nous avons joué au billard, au Monopoly – il est imbattable. D'ailleurs, je me demande s'il est possible de tricher à ce jeu-là... –, à celui qui fait la plus grosse bombe dans la piscine, à celui qui garde ses yeux ouverts le plus longtemps, à la main chaude, au *Pac-Man*, au *Galaga*, à notre machine-à-boules et... au golf. Ça ne pouvait pas faire autrement, c'est son sport. Au point qu'il nous a inscrits, Catherine, Maryse et moi, à des cours un été de temps. Je ne détestais pas ça. Bon, ça manquait un peu d'action, il n'y avait pas beaucoup d'occasions de faire un beau placage, mais papa venait me rejoindre en fin de journée, me donnait des conseils, me refilait quelques trucs et les journées passaient assez vite.

Un jour, après avoir joué ses 18 trous avec ses chums, papa se pointe sur le terrain où je creuse plus de trous avec mon bâton que je ne réussis de *birdies*, et nous commençons une partie. Il est d'une patience d'ange, attendant à chaque trou que je le rejoigne sur le vert (il s'y rendait en trois coups quand j'avais besoin de cinq *swings* juste pour décoller du *tee*...). Rendu au troisième trou, un *par* quatre, je ne sais pas ce qui me prends – je dois être habité par l'esprit de Jack Nicklaus –, je fais trois coups extraordinaires d'affilée qui me mènent sur le vert, mais ma balle demeure néanmoins assez loin du trou. Papa, ébahi, bouche bée, n'ose espérer le miracle. Son fils est à un coup du *par*. Alors il me *coache*, m'explique comment enligner la balle, retient mon élan, s'assure que j'ai bien saisi toutes les subtilités du terrain; il serait à un coup de gagner un championnat de golf professionnel qu'il ne serait pas plus excité. Et je frappe la balle. Papa la suit du regard en l'encourageant... «Envoye... envoye... envoye... YEAH!». Le premier *par* de son fils! Il se retourne vers moi en criant, en sautant comme un p'tit gars à Noël, il me prend dans ses bras, fier d'avoir été témoin de ce grand moment dans la vie de son fils. Et c'est bien un grand moment pour moi, mais pas pour les mêmes raisons... Bien sûr, je suis content d'avoir réussi un *par*, mais ça ne se compare en rien avec le bonheur que je ressens de voir mon père si fier de moi. Je me souviendrai toute ma vie de son sourire à ce moment-là, de sa joie... Il était tellement énervé qu'il n'était plus question de continuer la partie, et a on quitté le terrain de golf quelques minutes après. Sur le chemin du retour, papa n'a pas arrêté pas de parler et moi, je flottais... J'aurais aimé qu'on roule pendant des heures, je n'arrêtais pas de repasser dans ma tête le petit bout de film où papa avait sauté de joie. Et j'avais hâte que papa raconte mon coup à maman et ce, devant moi. Car papa ne nous complimentait pas souvent. Il était souvent fier de ses enfants et le disait volontiers à ses amis mais à nous directement, il ne le faisait pratiquement jamais. Nous arrivons à la maison, papa se précipite à la cuisine où maman est en train de préparer le souper.

– Marie, tu devineras jamais... Jean-Marie a fait son premier *par*! Et t'aurais dû voir ses coups...

Il décrit mon exploit de toutes les manières possibles; il en met, pendant que je me tiens à ses côtés, silencieux, un grand sourire aux lèvres. Et maman, qui devine toujours tout et encore plus, comprend parfaitement la signification de mon sourire...

J'aurais aimé que mes parents assistent à mes matches de football ou à mes parties d'impro, qu'ils m'encouragent par leur présence. Mes amis venaient me voir, ma sœur Catherine aussi, mais papa se trouvait généralement sur des plateaux de cinéma ou en tournée. Toutefois, lorsque j'avais participé, en 84, à la finale provinciale de *Cegep en spectacle*, avec mon groupe *Les Gais-Chats*, il avait quand même pris la peine de m'envoyer un télégramme sur lequel était écrit: «Bonne chance, mon fils. Tu l'as, l'affaire! Je suis fier de toi!». Ça m'avait fait chaud au cœur, de réaliser que mon père avait pensé à moi, bien qu'il se trouvait à Paris et donnait une série de récitals au théâtre Bobino...

Maman, elle, n'avait pas vraiment le temps de se déplacer pour assister à mes diverses activités. Néanmoins, même si elle n'était pas témoin de mes exploits sur le terrain, elle voulait en connaître les moindres détails et elle était fière de moi; enfants, j'étais si souffreteux, avec mon arthrite, mon souffle au cœur, mes diverses maladies, que de me voir en forme, costaud, joueur de football, c'était une sorte de victoire qu'elle avait, que *nous* avions remportée contre la nature...

Maman se déplaçait tout de même pour la plupart de mes concerts de piano classique, papa aussi quelquefois, mais il se tannait assez vite d'écouter les autres «p'tits Môzart»... Et il n'était pas beaucoup plus présent pour les spectacles ou les activités de mes sœurs, bien que dans le cas de Maryse, c'est elle qui insistait pour qu'ils ne viennent pas la voir au théâtre (allez savoir pourquoi, avec ma bizarre de sœur...). C'est peut-être pour cette raison d'ailleurs que papa ne s'est jamais déplacé pour me voir sur une scène. Puisque l'aînée ne voulait pas qu'il soit présent, il s'est peut-être dit que je ne le désirais pas non plus. Papa m'a enfin vu jouer au théâtre pour la première fois à l'été 98 dans la pièce *Lunes de miel*. Et j'étais nerveux...

Nous étions en représentations depuis cinq ou six semaines déjà. Le spectacle était rodé, les surprises étaient rares, on savait exactement quand le public allait rire ou quand il allait s'emmerder (ce n'était pas un grand texte). Je me suis rendu compte très rapidement que faire du théâtre n'était vraiment pas ma vocation. Surtout que mon personnage n'offrait pas beaucoup de possibilités d'improvisation. Alors, jouer, rejouer, re-rejouer la même pièce cinq soirs par semaine...

Papa m'avait demandé de lui réserver huit places pour lui-même et Cécile, mon oncle Sam, sa femme Claire, mon cousin Denys, sa blonde, ainsi que des amis. On m'avertit que ma gang est dans la salle à dîner. Je vais les rejoindre, je placote avec tout le monde, je leur recommande les meilleurs plats au menu, je leur suggère tel ou tel dessert, bref, j'essaie de désamorcer ma nervosité en faisant du *small talk*. Papa semble en forme et en vieux pro, me dit de ne pas m'en faire, de ne pas être trop nerveux, de prendre ça relax. Avant de retourner dans ma loge, je lui souhaite de passer une bonne soirée.

– Papa, je te demande d'être indulgent… T'es pas au TNM, là, t'es au Théâtre des Hirondelles… Pis ça vole bas, des fois…

– Jean-Marie, fais confiance au jugement de ton père, O.K.? Fais ton travail, amuse-toi, pis ça va aller.

Je n'ai généralement pas tellement le trac avant les représentations mais ce soir-là… Toute la troupe sait que mon père est dans la salle. Même le public au grand complet s'aperçoit de sa présence; Jean Lapointe est venu voir son fils jouer… Le *show* va-t-il être plus intéressant dans la salle que sur la scène? Je ne pense qu'à lancer ma première réplique, à briser la glace, et après ça, advienne que pourra!

«Je me présente: mon nom, c'est Robert Taylor, et voici ma femme, Élizabeth. (Élizabeth Taylor…)»

Ouf! C'est fait. Quelques rires dans la salle. Et celui de mon père, que je reconnais immédiatement. Pendant une fraction de seconde, je m'affole à l'idée de l'entendre crier «Envoye! Pince-lé!» (J'exagère à peine…) Mais je me rends compte rapidement, ainsi que mes camarades, que ce ne sera pas une représentation comme les autres. Le public est tellement nerveux pour moi qu'il n'ose pas rire lorsque Jean Lapointe ne rit pas. Et il s'esclaffe plus fort que d'habitude lorsque Jean Lapointe rigole. Une chance que mon père me trouve assez bon parce que la soirée aurait pu être *trèèès* longue…

La représentation se déroule bien, les autres comédiens s'arrangent pour me mettre en valeur, me laissent de la place pour faire quelques effets; Johanne, la régisseure, a même remplacé la glace en plastique dans le seau à champagne par de la vraie glace pour que ma réaction soit encore plus convaincante lorsque j'en verse le contenu dans mes culottes... Je passe à travers la maudite scène pendant laquelle je dois jouer torse nu – ce que je déteste profondément – et, rapidement, la pièce est terminée, nous saluons, et je me précipite dans ma loge; je me change, je me démaquille et je vais rejoindre ma gang dans le hall d'entrée du Théâtre. Je cherche mon père du regard mais c'est mon oncle Sam que j'aperçois en premier, qui s'écrie en me voyant: «C'est effrayant comme tu ressembles à ton père sur une scène!». Plusieurs personnes m'avaient déjà fait ce commentaire; même les comédiens avaient souligné cette ressemblance physique dans ma manière de bouger, ma voix, mon *timing*. Mais que le propre frère de mon père me dise la même chose... J'étais fier! Parce que papa, sur une scène, il est quelque chose. Je n'ai jamais voulu l'imiter sur scène, pas consciemment, du moins; c'est ma façon naturelle de jouer. Alors, me faire dire que je lui ressemble, c'est tout un compliment.

Papa s'approche de moi, m'embrasse et me dit qu'il m'a trouvé bon, bien qu'il soit un peu déçu que la pièce ne m'offre pas vraiment l'occasion de démontrer mon talent. Il a vu que j'avais de la présence, un sens comique évident, un bon *timing*, et il me donne quelques conseils pour améliorer ma performance. J'écoute attentivement tout ce qu'il me suggère, on s'embrasse encore une fois et on se quitte, satisfaits de notre soirée. Pour la première fois de ma vie, mon père m'a vu sur scène et j'ai passé le test. Fiou!

Je savais déjà que, généralement, papa me trouvait assez bon acteur. Il m'avait vu dans *Lance et compte*, *Scoop* et *Chambres en ville*, dans les films *Le vent du Wyoming* de Marc-André Forcier et *L'homme idéal* de Georges Mihalka. Mais tous les commentaires qu'il a pu me faire sur ma manière de jouer ne vaudront jamais la réaction que j'ai lue sur son visage lors de l'enregistrement de mes scènes dans la série *Montréal ville ouverte*.

Je jouais le rôle du policier Bernard Langevin qui, enquêtant sur les prostituées, n'avait pu résister aux charmes de quelques-unes d'entre elles... Une de mes scènes importantes se déroulait au tribunal; un juge questionnait mon intégrité et je me défendais du mieux que je pouvais en alléguant que je ne pouvais parler, l'enquête étant toujours en cours, que j'étais un homme marié et responsable. Bref, mon personnage se démenait comme un diable dans l'eau bénite. C'était une bonne scène qui me permettait d'interpréter toute une gamme d'émotions subtiles: nervosité, inquiétude, culpabilité, panique et confession en larmes. Alain Chartrand, le réalisateur, me dirigeait avec beaucoup de nuances et de délicatesse, surtout qu'il savait que ma mère était décédée quelques jours auparavant.

Après une répétition, je joue donc ma scène: je transpire, bégaie, tremble, mes mains sont moites, je tripote mes vêtements, pleure et m'effondre. La caméra me serre de près. On reprend la scène pour filmer les réactions du juge. «Coupez! Jean-Marie, c'était exactement ce que je voulais», me dit Alain. Je descends du plateau, encore un peu troublé par les émotions de la scène et... je fige. Papa est dans un coin, les larmes aux yeux. J'ai l'impression que le temps s'arrête, que toute l'équipe de tournage s'immobilise et que le seul son qu'on entend, c'est le chuintement d'un projecteur d'éclairage qui brûle. Papa s'approche lentement; muet, il me prend dans ses bras et murmure doucement: «Maudit que t'étais bon, Jean-Marie...» Le cœur me débat, je suis tellement bouleversé que je voudrais rester contre lui longtemps, longtemps... Mais il se dégage après quelques secondes, pudique, s'essuie les yeux et quitte le plateau pour aller dans sa loge. Il jouait lui aussi dans la série, le rôle du juge Caron, bonhomme intraitable, grognon et intègre, et avait quelques scènes à enregistrer plus tard dans la journée. Il était arrivé en avance, juste au moment où la caméra s'apprêtait à filmer ma scène et, pour ne pas déranger ma concentration, il était resté caché et m'avait observé pendant une dizaine de minutes. Chaque fois que je me remémore ce moment – le visage de mon père ému, sa réaction, ces quelques secondes dans ses bras –, un grand frisson me court dans le dos et mes yeux pétillent de fierté; je dois ressembler alors au petit Jean-Marie de huit ans qui était si heureux lorsque son père venait le border le soir dans son lit et lui disait: «J't'aime, mon fils...»

CHAPITRE 5

Tout le long, le long de ta rivière
Il y aura cailloux blancs, cailloux gris
De l'eau bleue, de l'eau pure, de l'eau claire
Mais aussi l'eau brouillée par la pluie...

Extrait de la chanson
Ta rivière
Lapointe-Lefebvre

La pêche miraculeuse! En quelques heures, nous avons attrapé quatre achigans, trois truites, sans compter les trop petits poissons que nous avons rejetés à l'eau... Et évidemment, ça donne faim, toute cette chair fraîche, d'autant plus que les paquets de biscuits sont vides... Alors, en prédateurs qui s'assument, nous retournons au chalet pour dévorer nos proies.

Claude, en plus d'être un guide extrêmement sympathique, s'avère un cordon bleu quatre étoiles. Il se propose de nous réveiller les papilles gustatives avec sa recette *Achigan à la Claudio*... Il dépèce l'achigan, – *swip*! *tchak*! *slick*! –, y ajoute une pincée d'épices par-ci, une poignée d'herbes par-là, *swingne* le poisson dans la poêle – *zoup*! – et voilà, ces messieurs sont servis! Salade et petit pain accompagnent la merveille. Et moi qui croyais que ça goûtait plate, un achigan... Celui de Claude fond dans la bouche, on se pâme, on se délecte, on se pourlèche les babines. Finalement, c'est pas très gros, un achigan... Nous en aurions bien mangé deux autres. Mais, évidemment, il reste le dessert...

Je fais la vaisselle. Je la lave à mesure car je ne tolère pas les traîneries: j'aime que tout soit impeccable, propre et à sa place. Ce qui fait l'affaire de papa qui aime que tout soit *spick-and-span* lui aussi, mais si tu lui parles de *Comet*, il lève le nez vers le ciel pour la voir passer... Je dois tenir ça de maman qui pouvait être parfois un peu maniaque; en plus de garder chaque pièce de la maison d'une propreté presque maladive, son sens de l'esthétique était tellement poussé que si quelqu'un prenait un bibelot dans ses mains pour l'admirer, elle repassait derrière pour vérifier si l'objet avait été remis exactement à sa place, dans l'angle qu'elle lui avait définitivement trouvé pour le mettre en valeur.

Repus, gavés, portant beau notre bedaine pleine, nous repartons sur le lac. Il doit bien rester quelques poissons qui nous ont échappé, les petits coquins... Mais la matinée qui commence à nous rentrer dans le corps, la digestion qui se fait aller et le soleil qui nous plombe dessus ralentissent un peu nos ardeurs. Alors nous prenons nos aises, admirons la nature et tirons de temps en temps sur nos lignes à pêche, question de ne pas perdre la main. Papa est aux p'tits oiseaux; il a mangé de l'achigan, il est au grand air, le café est bien chaud dans le thermos, ses cigarettes n'incommodent pas les canards... et son fils tripe à tirer sur une canne à pêche. Je ne m'étais jamais rendu compte à quel point il adorait aller à la pêche. Et de me voir prendre autant de plaisir que lui à taquiner le poisson le ravit. Combien de fois a-t-il tenté de me faire partager ses diverses passions, sans grand résultat? Les timbres, par exemple. Papa est un philatéliste déchaîné. En plus d'avoir tenu sa propre boutique de timbres pendant des années, il s'est amusé à monter, pendant un temps, une des collections les plus éclectiques qu'on puisse imaginer: les timbres amiraux de George V, émis de 1911 à 1925, avec toutes leurs variétés de couleurs, de papiers, d'erreurs... Non mais, collectionner des erreurs... Y a rien là: moi aussi, j'en collectionnais des erreurs à l'école, et des plus variées à part ça! Papa ne pourrait pas collectionner des casquettes comme tout le monde? À part le timbre *Blue Nose* que j'avais accepté d'admirer pour lui faire plaisir, je les ai toujours trouvés plates, ses petits bouts de papier qui collent! Pauvre papa! il voulait tellement, mais tellement... Il nous avait équipés, mes sœurs et moi, de pinces, de petites loupes, et nous avait acheté chacun des collections thématiques, espérant éveiller ainsi un engouement quelconque: Maryse avait sa collection de timbres sur la peinture, Catou sur les chevaux, Babette sur les animaux et moi, sur les Jeux olympiques. S'il savait à quoi elles ont pu servir, les p'tites pinces...

Je ne comprends absolument pas l'intérêt qu'il peut y avoir à examiner le dessin à moitié effacé d'un vieux petit carré de papier. Mais, en même temps et je ne sais pas pourquoi, observer mon père en train de jouer dans ses timbres, ses grosses mains devenant légères et délicates, le voir prendre toutes les précautions du monde pour ne pas les déchirer ou pour scruter sous sa grosse loupe une oblitération parfaitement centrée, ça m'attendrit. Avec le rythme de vie complètement éclaté qu'il avait, ça m'a toujours touché de le voir triper sur les petites *œuvres d'art* de sa collection. Et puis, de le savoir à la maison, dans son bureau, concentré sur ses timbres et non pas ailleurs à faire des folies, y était aussi pour quelque chose...

Vers le milieu de l'après-midi, papa décide d'aller faire une sieste. Nous le larguons au chalet et nous continuons notre promenade, Claude et moi. Tranquilles, nous pêchons encore quelques poissons que Claude nettoie dans le bateau. On discute de toutes sortes de choses – de sa femme et de sa famille, moi, de ma blonde, de nos deux chats, de la maison, des rénovations. Je me sens si bien que j'étirerais mon séjour ici pendant une semaine. En gardant papa avec moi, bien sûr...

Je suis au cégep Vincent d'Indy. Session d'hiver. J'assiste à un cours quand soudain, quelqu'un entrouvre la porte et me dit que je suis demandé au téléphone. Je me lève, très étonné. Dans le couloir, je décroche le premier téléphone que je trouve: ce n'est pas la bonne ligne... Je descends un étage et croise un copain qui me dit de me grouiller: ma mère est au téléphone et elle pleure. Je suis énervé au possible mais, comme toujours dans ce genre de situations, je demeure calme – ça ne sert à rien de paniquer, y a assez de gens autour qui paniquent et le font très bien... – je suppose que le rôle d'*homme de la maison* que j'ai eu à tenir durant les rechutes de mon père a créé chez moi ce réflexe de contrôle. Je trouve enfin un téléphone en ligne directe avec ma mère. Elle sanglote sans pouvoir s'arrêter.

– Jean-Marie, c'est ton père...

– Qu'est-ce qu'y a maman? Qu'est-ce qui se passe? Qu'est-ce qu'il a, papa? (J'ai beau être en contrôle, les larmes de ma mère me font un peu capoter...)

– Il a eu un problème cardiaque!

– Mais... Papa est mort?

– Viens-t-en, Jean-Marie! Viens-t-en, mon fils!

– O.K., maman, j'arrive.

Je mets une minute et quart à me rendre à la maison, sur une route glacée et glissante. Je gare très approximativement ma voiture, j'ouvre la porte de la maison à toutes volées et je trouve maman dans la cuisine. Elle ne pleure plus et me dit enfin que papa a eu un problème au cœur, qu'il n'est pas mort mais qu'il est sous observation à l'Institut de cardiologie de Montréal. Je ne suis qu'à moitié rassuré, vu l'état de maman. Je veux me rendre à l'hôpital au plus vite, mais maman tient à rejoindre mes sœurs avant de partir. Je tourne en rond pendant une trentaine de minutes puis, n'en pouvant plus, je suggère à ma mère de me rejoindre à l'hôpital.

Je réalise le fantasme de n'importe quel conducteur de voiture qui aime être au volant d'une voiture puissante: je traverse la ville à toute vitesse, en pleine heure de pointe, *slalomant* entre les autos qui patinent sur la glace et celles embourbées dans des bancs de neige. Je n'ai jamais roulé aussi dangereusement vite de ma vie et le pire, c'est que je ne peux même pas triper: je ne pense qu'à papa. Je laisse ma voiture dans le stationnement de l'hôpital et continue de faire de la vitesse à pieds dans les corridors, cherchant mon père, quelqu'un, un médecin, n'importe qui... Je tombe sur Jean-Claude Lespérance, son impresario. Je n'ai jamais vu Jean-Claude paniquer ou perdre les pédales. Raisonnable, solide, calme, un roc. Il me rassure et m'apprend que papa a eu un début de crise d'angine durant son examen annuel. Et, mardeux comme il est, il était à la bonne place au bon moment. Il n'y a pas de complications mais papa a besoin de repos, et les infirmières sont en train de l'installer dans sa chambre. Je dois encore attendre un certain temps avant de pouvoir aller lui parler. J'en profite pour observer Jean-Claude. Il a toujours servi de bouclier, de tampon, de médiateur entre papa et le reste du monde. Non pas pour isoler qui que ce soit mais pour prévenir les coups, pour amortir les chocs ou pour donner une certaine perspective aux événements plus ou moins pénibles de la vie de papa et de ses proches. Sans lui, papa n'aurait jamais mené la carrière qu'il a eue et aurait fait beaucoup plus de bêtises...

C'est toujours étrange et un peu inquiétant de voir quelqu'un qu'on aime à l'hôpital, *plogué* sur des machines, à moitié amoché. Pourtant, papa est étonnamment calme, lui qui est terrorisé par la maladie, la mort et les hôpitaux. Probablement qu'il a eu juste assez la trouille pour pouvoir apprécier une jaquette d'hôpital... On placote de tout et de rien, il avoue qu'il a eu une peur bleue mais il fait des blagues, il m'assure qu'il se sent bien, que je n'ai pas à m'en faire... Maman et mes sœurs arrivent et je m'éclipse pour quelques heures. J'ai besoin de respirer un peu et de digérer mes émotions. J'ai eu peur, moi aussi. J'ai été confronté à la possibilité que papa soit mort, qu'il disparaisse de ma vie. Comme je ne sais pas trop comment lui exprimer tout ce que je ressens et que, de toute façon, papa n'est jamais très confortable avec ce genre de démonstrations, je retourne à la maison et lui écris un petit mot que je glisse dans une jolie carte avec quelques billets de loterie. «Bon courage, papa, prompt rétablissement. Ton fils qui t'aime.»

À l'entrée de l'hôpital, je croise Maryse qui me dit que papa va mieux. Même qu'il lui a demandé d'aller fouiller derrière le calorifère de sa chambre où il a caché un mégot de cigarette, de l'allumer et de le lui apporter. Ce qu'elle a fait, en riant tout bas – effectivement, si papa a trouvé le moyen de cacher une cigarette sans que les infirmières s'en aperçoivent, c'est qu'il est redevenu lui-même... Je le rejoins dans sa chambre, on jase un peu et je lui donne ma petite carte. Ému mais tentant de ne pas le montrer, il me remercie, puis se met à pleurer comme un enfant. Chaque fois qu'il lit ou entend les mots «Ton fils qui t'aime», ça le bouleverse. Il me demande de partir et de le laisser se reposer. Les marques d'affection le chavirent tellement qu'il a presque toujours le réflexe de s'isoler. Un ours mal léché et vulnérable qui se terre dans sa grotte, étonné qu'on puisse l'aimer malgré sa grosse voix...

J'ai toujours eu peur d'apprendre que papa soit mort. Pendant les années qui ont suivi le décès de maman, j'étais terrorisé à l'idée que papa allait partir lui aussi. Et que je n'aurais pas eu le temps de me rapprocher de lui. Que je n'aurais jamais joué au théâtre, à la télé ou au cinéma avec lui. Que je n'aurais pas eu l'occasion de lui montrer qu'il pouvait être fier de moi. J'en faisais une obsession.

À l'hiver 1993, Marc-André Forcier m'a approché pour jouer dans son film *Le vent du Wyoming* et il voulait proposer un rôle à papa. Enfin, nous allions travailler ensemble. Dans le film de Forcier, nous devions partager plusieurs scènes importantes et j'étais si excité que je répétais mes scènes régulièrement; je pratiquais chaque mouvement, chaque respiration, pour être à la hauteur de son talent. Mais un jour, Marc-André m'annonce que papa ne peut pas faire le film, étant en tournée avec son spectacle *Un dernier coup de balai*. J'étais si dépité que, durant une semaine, j'ai tenté de le convaincre de trouver de la place dans son horaire, de changer ses dates de spectacles; j'ai même demandé à son impresario d'user de son poids pour que papa change d'idée. Rien à faire. Alors, en dernier recours, j'ai appelé mon père et je l'ai supplié de faire le film. Je lui ai dit que nous n'aurions peut-être plus jamais une aussi belle chance de jouer ensemble d'aussi bons personnages et, en larmes, à bout d'arguments, je lui ai lancé: «J'veux me rapprocher de toi avant que tu meures, papa!» J'avais vraiment choisi mon *timing*: c'était la veille de sa première à Québec... La flopée de sacres qui a suivi mon cri du cœur m'a convaincu de ne pas revenir sur le sujet... J'étais triste, blessé, en colère et je me sentais abandonné. Évidemment, si j'avais été capable de prendre un peu de recul, je me serais rendu compte de ma maladresse et j'aurais compris que papa n'avait franchement pas envie d'entendre parler de sa propre mort à quelques heures d'un lever de rideau important...

Quelque temps plus tard, papa m'a fait réaliser que sa présence sur le plateau m'aurait probablement nui plus qu'autre chose, de par sa tendance à me critiquer, à me conseiller, à me paterner. Et que mes scènes avec l'acteur Michel Côté étaient si efficaces qu'il était convaincu qu'il n'aurait probablement pas pu faire mieux. «C'est l'fun, travailler avec Michel, hein? Pis il a dû te donner des trucs pis t'aider, en plus de te faire rire...» Encore une fois, papa avait raison...

Ah! les peurs que papa m'a fait endurer... Une des plus drôles, avec le recul – parce qu'au moment où ça s'est produit, je ne trouvais pas ça comique du tout! – c'est lorsqu'il est arrivé à la maison avec la pochette de son nouvel album *C'est beau le monde*. Assis sur un croissant de lune en carton et déguisé en *Pierrot* vaguement tapette, il avait l'air complètement fou. «C'est une blague, hein, papa? Montre-moi la vraie pochette...» «Euh... mais c'est ça! Tu l'aimes pas?» Quelle horreur! Je suis épouvanté, catastrophé, convaincu que c'est la fin de sa carrière tellement son *Pierrot* moumoune est ridicule. Je vais chercher Maryse pour qu'elle voit «la chose» et elle éclate de rire! C'est pas possible, il faut trouver une solution, surtout que papa commence à paniquer... «T'as fait imprimer combien de copies de cette pochette-là, papa?» «Plusieurs milliers... Ça coûterait une beurrée de la changer...» On se regarde, Maryse et moi, et on sort en même temps un 2 $ de nos poches. «Tiens, p'pa, c'est notre contribution!» Des mois plus tard, il a fallu que papa me dise combien de copies de cet album s'étaient vendues pour que je cesse d'angoisser chaque fois que je me mettais au lit...

Tiens, ma ligne a accroché quelque chose. Mouline? Mouline pas? Ça tire à peine, c'est tout p'tit pis, ça veut vivre! Mouline pas. Dieu! que c'est beau, ici! Ma petite Josée adorerait ce site, elle qui aime tant la nature... Dès qu'elle a un moment de loisir, elle plonge ses mains délicates dans la terre et prend soin des fleurs de son jardin. Elle entretient un rapport privilégié avec ses hémérocalles, ses lilas, ses gloire-du-matin; elle leur parle, leur marmonne des petits mots doux et tous les matins, elle s'extasie devant les changements produits durant la nuit. «Viens voir, Jean-Marie, mon muguet a encore poussé! Ça sent tellement bon! Viens jeter un coup d'œil!»

Dès notre première rencontre, ma petite Josée a eu sur moi une influence considérable. Saine, terre à terre, *flyée* à ses heures, équilibrée, généreuse, elle m'aide à mettre de l'ordre dans mes émotions, mes impressions, mes souvenirs et m'incite à voir, à chercher et souvent, à *trouver* ce qu'il y a de positif dans la vie. Fouf vient d'une famille de six enfants, tous très proches les uns des autres; les sœurs s'appellent chaque semaine, les frères se soutiennent entre eux et quand toute la gang se retrouve dans la même pièce, une telle chaleur se dégage du groupe que je me sens privilégié de faire partie de cette famille. Je n'ai pas connu le père de Josée, mais j'ai eu la chance de rencontrer sa mère un an avant qu'elle meure. Une dame magnifique qui m'a donné encore plus l'envie de faire ma vie avec Josée et de vieillir avec elle. Il y a un mois, nous avons fêté notre premier anniversaire de mariage qui s'était déroulé dans un décor champêtre presque aussi enchanteur que celui-ci.

Dieu! qu'elle était belle, ma Josée, en ce dimanche 31 août 97! J'aurais tant aimé que maman la connaisse. Je suis certain qu'elle aurait aimé ma Fouf. Elle aurait apprécié son indépendance, sa grâce, sa générosité, sa curiosité; elles auraient tripé ensemble. Lorsque j'ai aperçu Josée dans sa robe de princesse romantique du 18e siècle avançant dans l'allée sous le dôme de roses ivoire, de vigne séchée entrelacée de branchages, je me suis mis à pleurer de joie, de fierté, d'admiration, d'incrédulité aussi. Je n'en revenais tout simplement pas: cette fille ravissante, lumineuse, d'une grâce à couper le souffle est ma femme! Nous sommes mariés pour l'éternité. Depuis la veille...

Eh oui, nous étions déjà mariés! Le curé André, l'oncle de Josée, avait accepté de célébrer notre mariage en plein air à la condition qu'une petite cérémonie religieuse ait lieu dans une église, suivie de la signature des livres avec témoins. Alors, la veille, un samedi après-midi, Josée et moi sommes sortis de mon appartement, elle, vêtue d'une petite robe d'été, moi, d'une chemise légère et d'un pantalon de coton; on a marché deux coins de rues pis on est allés se marier comme si de rien n'était dans la petite chapelle de l'église Saint-Viateur d'Outremont! Papa, qui me servait de témoin, s'était stationné en double! Complètement surréaliste comme mariage! C'est moi qui ai joué la marche nuptiale sur un petit orgue caché sous une couverture au fond de la chapelle... Jeanne, la sœur de Josée, et son mari Danny, papa et Cécile, le curé, les jeunes mariés... «Veuillez échanger les anneaux...» et pouf! c'était terminé en vingt minutes! Papa pleurait comme un veau tant il était ému de voir son fils se marier et être heureux. Nous avons signé les livres, sommes tous sortis de la chapelle et sommes allés prendre une bouchée dans un restaurant à cinq minutes de marche...

Je rigole chaque fois que j'y pense! Surtout que le lendemain, papa s'est pointé au mariage officiel avec une demi-heure de retard – «Bof, c'est pas grave, y sont déjà mariés!» – et qu'il nous a fallu, avec un peu plus de décorum, répéter les mêmes gestes, échanger les mêmes vœux, glisser à nouveau nos alliances... Et papa pleurait encore! À part ceux qui avaient assisté à la cérémonie dans la chapelle, personne n'était au courant de notre subterfuge. On se lançait des clins d'œil complices, papa et moi, on se retenait de rire; deux p'tits comiques facétieux qui ont joué tout un tour à une centaine de personnes!

À l'occasion de son mariage avec Cécile un an après la mort de maman, malgré le froid qui persistait entre nous, malgré les tensions, le ressentiment qui nous habitaient tous les deux, papa m'avait néanmoins demandé d'être son témoin. J'avais été touché de la confiance qu'il m'accordait et, en étant son témoin, je lui démontrais, en mon nom et en celui de mes sœurs, que nous n'avions aucun problème à accepter ce remariage relativement rapide. Nous aimions tous Cécile et elle nous le rendait bien. Alors, lorsqu'est venu pour moi le temps de choisir un témoin pour mon mariage, je n'ai pas hésité à appeler mon père.

– Papa, j'ai une grande faveur à te demander...

– Je suis désolé, Jean-Marie, mais j'ai pas une cenne!

– T'es comique! Non, c'est pas ça: j'aimerais que tu sois mon témoin à mon mariage. (Long silence à l'autre bout de la ligne...) Euh... papa?

– (Voix étranglée par l'émotion...) Oh! que ça me touche, ça, Jean-Marie! Ben.. ben... ben sûr, que je vas être ton témoin.

– Mais y a une passe... On se marie en cachette la veille du mariage...

– Hein?

Je lui explique les raisons de cette petite magouille et il part à rire!

– C'est ben correct, Jean-Marie...

– Mais il faut pas que personne le sache, hein? Tu vas être capable de faire semblant de rien, le lendemain?

– Voyons, Jean-Marie! Mais... ça va te coûter cher, par exemple!

Presque toutes les personnes que j'aime étaient présentes: mes six sœurs, mes oncles et tantes Lapointe, oncle Michel, le frère de maman et son fils Louis, mes cousins Denys et Pierre, Géraldine, qui avait été notre gouvernante dévouée pendant plus de dix ans, mes grands amis Patrick et Vévé, Sylvain, Martin, Zanzan et Zaza, François, Todd, Jean, Péné, Eugen, Michel; j'étais entouré de tant d'amour que je me remarierais chaque été et chaque 31 août!

Je n'avais pas vu mon oncle Sam depuis des mois; je savais qu'il allait un peu mieux mais le cancer continuait de gruger son corps petit à petit. Comme il était arrivé en retard au mariage, je n'avais pas eu l'occasion de le saluer. Ce n'est qu'après la cérémonie, lorsque tous les invités nous ont félicités les uns après les autres, que j'ai eu un petit moment avec lui. J'embrasse Claire, sa femme, j'échange quelques phrases avec elle, puis je me tourne vers Sam. Il me regarde, me sourit, visiblement attendri, et me serre dans ses bras. Nous restons ainsi un long moment, je sens son cœur battre contre mon corps, sa moustache chatouiller ma joue et je sais que c'est la dernière fois. La dernière fois avant qu'il ne soit trop malade pour me serrer et me transmettre sa force, sa générosité et son amour. Et je crois qu'il le sait lui aussi. Plein de souvenirs de Sam se précipitent pêle-mêle dans ma tête et je me mets à pleurer à gros sanglots. Il me garde contre lui jusqu'à ce que je m'apaise...

J'ai passé trois étés consécutifs avec Sam, sa blonde Lise et mon cousin Denys, en plus des nombreuses visites chez lui au fil des ans. Mon adolescence est truffée de moments cocasses avec Sam, de longues randonnées en auto avec lui et mon cousin Denys, un peu plus âgé que moi, de parties de golf loufoques, de repas gastronomiques, de fous rires... Papa, de plus en plus occupé par sa carrière, avait moins de temps à me consacrer et savait que j'aurais du fun avec son frère, son grand chum en qui il avait entièrement confiance. Il devinait aussi que Sam et Denys m'offriraient un bel exemple de la complicité qui peut unir un père et son fils. J'étais entre bonnes mains.

Papa m'a donné une sorte de deuxième père.

Avec Sam sur un terrain de golf, c'est pas le temps de niaiser. C'est sérieux, le golf. Il y a des règles à suivre, dont une qui me donne un peu de fil à retordre: on ne rit pas comme un débile et, surtout, on ne hausse pas le ton. Le golf, c'est un sport de gentlemen. «Alors Jean-Marie, fais pas le bouffon.» Bon, bon, très bien. Mais, à 14 ans, c'est pas long que tu trouves que ça manque un peu de piquant, le golf...

Je m'échine sur le terrain, je *swingne* plus de mouches que de balles avec mon bâton, mais je reste sérieux. Sam, Lise et Denys sont patients avec moi mais j'ai l'impression de leur faire perdre leur temps et, comme j'ai pas le droit de faire le zouave, c'est encore plus plate. Rendus au septième trou, nous sommes sur le haut d'une butte et un petit cours d'eau longe le vert qui est un peu plus bas. Lise et moi frappons tout croche et nos balles se retrouvent au pied de la butte, dans un *pit* sableux, entre le vert et le cours d'eau. Je descends chercher nos balles et je m'assois sur le flanc de la butte pour garder mon équilibre et tenter d'atteindre les deux balles sans mettre les pieds dans l'eau. J'en attrape une, je m'étire un peu pour ramener l'autre avec mon bâton lorsqu'un bruit capte mon attention. *Bzzzzzz...* C'est quoi, ça? Ayoye! Ayoye! Ça pique partout! *Bzzzzzz*! Ayoye! Ça pique! Mon bâton revole, la balle aussi, je me secoue, je frétille, je grouille de partout. Ayoooooye!

Maudit cave, je me suis assis sur un nid de guêpe! J'entends, entre deux *bzzzzzz*, la grosse voix de Sam qui murmure très fort (y a que les golfeurs qui savent crier tout bas...): «Èye! Qu'est-ce que je t'ai dit Jean-Marie! On crie pas, au golf!». Je fais une sorte de danse à Saint-Dilon jusqu'au vert où Sam, Denys et Lise me voient arriver avec ma gang de guêpes *groupies*. *Bzzzzzz*... Je massacre le gazon avec mes souliers cloutés sans m'en rendre compte, car je ne vois rien à travers le nuage de guêpes. Après une minute de combat acharné et probablement parce qu'il ne reste plus un pouce de peau à piquer sur mon corps, les guêpes m'abandonnent sur le vert complètement ravagé. J'ai mal partout, je commence à enfler et les trois autres me regardent en se mordant les lèvres pour ne pas me rire en pleine face... face qui se déforme de plus en plus d'ailleurs: je ressemble à un croisement entre l'*Homme-éléphant* et *Humpty Dumpty*. Je demande à Sam si ça paraît que je me suis fait piquer mais ça sort quelque chose comme: «Thhha barais-du gue ze mne thhhuis fffait biquer?» Pour la première fois de ma vie, je vois Sam se rouler par terre, sur un vert de golf, hurlant de rire!

– Jean-Marie, si tu contes encore une *joke*, je te débarque de l'auto!

J'ai dû conter au moins 124 blagues depuis qu'on a quitté le petit restaurant sur la route qui nous mène à l'Île-du-Prince-Édouard. J'ai un carnet dans lequel j'inscris toutes les bonnes blagues que j'entends depuis des années. J'en ai des pages et des pages... J'suis hyperactif et j'adore conter des *jokes*. Et j'suis pas pire: je fais des voix comiques, j'improvise des bruits d'ambiance, je déplace de l'air avec mes bras, mes pieds, je me démène, au grand plaisir de Denys et Lise. Mais y paraît que je dérange Sam qui ne voit plus clair tellement il pleure de rire.

– Jean-Marie, je t'avertis, une autre pis tu sors!

Ah! Un public qui fait semblant qu'il n'en peut plus mais qui, au fond, en redemande. Encore! Encore! Bis!

– Une fois c't'un gars, comprends-tu...

La voiture de Sam s'arrête sur le bord de la route.

– Descends, Jean-Marie!

– Quoi?

– Jean-Marie, tu débarques de l'auto!

– Mais... mais...

– Je t'avais averti. Débarque!

Lise et Denys me regardent, exaspérés: Sam sort de la voiture et ouvre ma porte. Bon, O.K., tu veux me niaiser mononc'? Très bien, que je me dis. Je descends, il ferme la porte, rentre dans l'auto et, zoup! il est parti. La voiture disparaît de l'autre côté d'une courbe. J'attends. Une minute... Voyons, qu'est-ce qu'y fait? Y est ben niaiseux... Deux minutes... Ben? C'est pus drôle, là... Deux minutes et demie... J'ai envie de pleurer. Trois minutes... et la voiture apparaît au bout de la courbe et recule jusqu'à moi. Je n'ai jamais été aussi heureux de voir des pare-chocs arrière de toute ma vie. Sam baisse sa vitre:

– Jean-Marie, je te rembarque à condition que tu te tiennes tranquille.

– Je te promets que je dirai pas un mot, mononc' Sam.

Je me glisse sur le siège arrière de l'auto en silence, pendant que Lise et Denys, complices depuis le début, rigolent avec Sam. Nous roulons depuis dix minutes et c'est à peine si j'ose respirer. J'ai appris qu'il ne fallait pas niaiser mononc' Sam. Je ne le referai plus jamais. Juré.

Mais c'est un peu plate dans l'auto, personne parle. Alors, de ma plus gentille et polie et respectueuse voix, je demande tout doucement:

– Mononc' Sam, est-ce que tu me donnes la permission de conter une *joke*, s'il vous plaît?

Sam m'a toujours encouragé, que ce soit lorsque je faisais du sport, de la musique ou lorsque je jouais à la télévision ou dans un film. Il me téléphonait régulièrement pour me dire «Èye, Ti-Manie! Je te vois, là, dans mon salon... Maudit que tu fais bien ça!» Il était fier des accomplissements des gens qu'il aimait et il avait toujours un mot gentil, une remarque sympathique, un commentaire élogieux à donner. C'était sincère, ça venait du cœur, et il ne se gênait pas pour le dire. Que ce soit à ses amis, ses parents, ses enfants, sa femme Claire, papa ou moi.

Quelques heures après la mort de maman, oncle Sam est venu nous rejoindre à la maison, les yeux rougis d'avoir pleuré «la petite Marie», comme il aimait l'appeler. Il ne parlait pas beaucoup ce matin-là, mais il était présent, avec nous. Et pendant que Catherine et papa organisaient les funérailles, Sam a préparé sa célèbre sauce à spaghetti. Probablement pour s'occuper les mains et l'esprit, mais aussi pour s'occuper de nous. Pour prendre soin, à sa manière et avec beaucoup de pudeur, de son frère, de ses nièces et de son neveu. Il a mitonné une sauce qui nous a nourris pendant des jours. Un geste qui peut paraître banal mais qui en dit long sur l'homme tendre, simple et affectueux qu'était Sam.

Mon chagrin se dissipe un peu et je m'apaise lentement. J'entends d'autres invités féliciter la mariée, ma Josée d'amour, et il faudrait bien que je leur dise un mot moi aussi. Alors, je prends une grande respiration, Sam desserre son étreinte et je le remercie du regard, pour tout. Ses yeux embués me répondent avec tendresse. Nous n'avons pas échangé un seul mot.

Oncle Sam est mort le matin du 2 février 1999.

J'ai pleuré un oncle magique, mon oncle *James Bond, Magnum P.I.*, mon oncle fou avec ses autos sport, ses courses automobiles, ses «Playboy's» qui éclairaient mes 12 ans, ses jolies blondes, ses designs futuristes pour Bombardier; j'ai pleuré le héros cool de mon adolescence; j'ai pleuré un homme qui a bâti, à mes yeux, une amitié inébranlable avec son fils, une amitié que j'enviais parfois lorsque j'étais plus jeune. J'ai pleuré Sam dans les bras de mon père.

SAM

Sam,
Le père, l'ami
Le frère, l'amant
Le grand-père, l'enfant
Est parti.

Sam,
C'était un gamin qui inventait avec ses crayons
Des moteurs, des poèmes, des avions
Des jardins, des levers de soleil, des maisons
C'était une boîte à surprises
Une boîte de couleurs
Une boîte à chansons
C'était un regard bleu

Comme les nénuphars de Monet
Comme des myosotis au printemps
Comme un héron prenant son envol
C'était un rire
Comme une sonate de Mozart
Comme une cloche de Pâques
Comme une cascade au pied d'une rivière.

Sam,
C'est maintenant
Un chagrin qui gonfle et qui enfle
Une peine grande comme son cœur
Un sanglot qui fait trembler
Un silence sourd et aveugle
Une absence tellement, tellement présente...

Mais Sam,
Tout doucement
Ce sera un clin d'œil au coin d'une larme
Un sourire qui vous regardera dans le miroir
Une tristesse qui vous dira «bonjour» un matin
Une voix chaude qui vous bercera une nuit
Une infinie tendresse qui accompagnera vos jours...

Et Sam,
Surtout,
Ce sera un refrain qu'on aime profondément
Et qui nous reste pour toujours en tête...

(Texte écrit par Maryse, lu lors des funérailles de Sam).

Tout comme Sam, Ricet Barrier a été un père de substitution pendant un certain temps. Aujourd'hui, nous sommes de grands copains, même si l'Atlantique et quelques montagnes nous séparent. Lorsqu'il n'est pas en tournée, Ricet vit en Auvergne ou en Suisse, toujours accompagné d'Añe, sa conjointe, sa régisseure de spectacle, son âme sœur. Ils sont ensemble depuis plus de vingt ans.

Ricet Barrier est un chanteur et un conteur incroyable. Bien des gens connaissent sa voix sans pouvoir mettre un visage dessus: Ricet faisait la voix du canard dans l'émission pour enfants *Saturnin*. Mais, dans mon cas, le premier contact que j'ai eu avec l'univers délirant de Ricet fut par le biais d'une de ses chansons reprise par les Jérolas, *L'enterrement*. Les voisins devaient se demander quelle sorte d'enfants Maryse et moi étions, à nous entendre chanter à l'âge de six ou sept ans: «Ah! c'que j'suis content que tu sois venue à mon enterrement...»! À la maison, on était tous des *fans* de Ricet, un bon ami de papa. Les chansons *La Marie, Isabelle, Les plaisirs gratuits, La java des hommes-grenouilles* et bien d'autres faisaient partie de notre répertoire musical un peu étrange pour des gamins.

Ricet venait régulièrement faire son tour au Québec et passait toujours quelque temps avec papa. Je trouvais qu'il avait une drôle de bouille avec ses petits yeux plissés et sa moustache, qui aurait dû ressembler à celle de Brassens mais qui rappelait plutôt celle d'un phoque! Pour Ricet, j'étais le p'tit Jean-Marie qui lui demandait de lui faire la voix de *Dame Belette* et de lui chanter «L'obus, quick boum!». Pour moi, c'était l'ami le plus *flyé* de mon père...

Notre relation s'est modifiée au début des années 90. Ricet participait presque à chaque année au téléthon et on l'hébergeait dans la maison que papa louait à Montréal. Je passais beaucoup de temps avec Añe et Ricet à placoter de n'importe quoi. De ma mère, souvent. Ils avaient passé beaucoup de temps avec elle durant la tournée européenne de papa; maman buvait de plus en plus, se sentait seule, loin de sa famille; papa était toujours occupé ailleurs et ils avaient pris soin d'elle. Ricet me racontait aussi toutes sortes de souvenirs, me décrivait son coin de pays en Auvergne, me parlait de ses deux ânes, de sa maison en Suisse, de son atelier de *gosseur de cuir*. Je découvrais le tripeux qui avait tant amusé mon père vingt ans plus tôt, et je devais rappeler à Ricet le jeune et fou Jean Lapointe des années 60 et 70. Pendant que je me rapprochais de Ricet, papa s'en éloignait un peu. Ricet est un vieux gamin qui s'émerveille encore de voir une coccinelle se balader sur sa main tandis que papa, avec les coups durs qu'il a encaissés, pose un regard un peu plus usé sur la vie. J'avais d'autant plus de fun avec Ricet qu'à cette époque, papa et moi n'entretenions pas une très belle relation; en fait, j'entretenais plutôt des rancunes et j'évitais les contacts, de peur de me mettre en colère.

Durant l'été 95, je suis invité à Larochelle pour participer à l'émission *Fort Boyard*. Comme Ricet et Añe m'ont souvent invité à venir passer quelques jours chez eux, je les appelle pour savoir si je peux me pointer le nez en Auvergne. Ricet me dit qu'à cette date, il sera en Suisse. «Mais y a pas d'problème, fiston! Tu prends le TGV, on te ramasse à La Chaux-de-Fonds, et tu viens faire la fête avec nous!» Je suis tout excité à l'idée d'aller pour la première fois en Europe, de voir la Suisse, pays que maman aimait particulièrement, et de revoir Ricet et Añe, évidemment. Pendant quelques semaines, je ne me peux plus: je lis tout ce que je trouve sur Paris et la Suisse, je ne me gêne pas pour faire des envieux; je me régale à l'avance des superbouffes que je vais avaler, des paysages que je vais contempler, et d'une culture que je vais découvrir grâce au guide le plus sympathique qui soit: Ricet.

Mais la veille de mon départ, je mange un hamburger... En plein été... Cuisson douteuse... À peine ai-je mis le pied dans l'avion avec la gang de *Fort Boyard* que d'atroces crampes me tordent l'estomac. Je n'ai jamais été aussi malade de ma vie! Pendant cinq jours, je fais des escales dans tous les bols de toilette que je croise entre l'aéroport de Dorval et le petit hôtel de Larochelle. Je me vide littéralement de mon sang, au point que j'ai peur de mourir les culottes baissées, à mi-chemin entre mon lit et les W.-C... Je suis tellement faible que me lever d'une chaise tient d'un exploit cent fois plus difficile que n'importe quelle épreuve de *Fort Boyard*... Deux médecins m'examinent à Paris et me prescrivent une série de médicaments que la femme de Guy Mongrain m'administre pendant plusieurs jours. Ah! Ginette! Un ange d'infirmière... Tout le monde est inquiet, se relaie à mon chevet, essaie de me faire manger, pendant que je culpabilise sur le fait que je vais peut-être faire perdre mon équipe lors de l'enregistrement de l'émission de télé. Mais, par miracle, je parviens à passer à travers le *Fort-Boyau* et nous réussissons nos épreuves. Je téléphone à Ricet pour lui annoncer que je suis très malade et que je ne sais pas encore si je serai capable de me rendre en Suisse. «Y a pas d'problème, fiston. Si tu te sens assez en forme pour prendre le train, tu t'en viens et on va te refaire une santé, tu vas voir...»

Eh bien, j'ai vu! Et j'ai mangé! «Quand l'appétit va, tout va!», comme dirait Obélix... Le lendemain de l'enregistrement de l'émission, je peux marcher sans être trop étourdi, les hémorragies sont relativement sous contrôle et je décide donc d'aller me reposer chez Ricet. Il m'attend à la gare avec son grand sourire et ses bretelles. Lorsqu'on arrive chez lui, Añe est en train de mettre la table pour le dîner et, quand tout ce que tu as avalé en cinq jours, c'est quelques bols de riz – et je *déteste* le riz! –, un quignon de pain frais te semble plus délectable que n'importe quel repas gastronomique. Añe a mis les petits plats dans les grands pour me recevoir: légumes de jardin, cuisses de grenouilles et chocolats suisses... Je crois que je n'ai jamais été aussi heureux de me retrouver devant une assiette pleine de bonnes choses à déguster en compagnie de deux personnes que j'aime beaucoup.

Je passe une semaine chez ce couple magnifique à bouffer, à rire, à parler, parler, parler... Discuter pendant des heures autour d'une table généreusement garnie est un mode de vie qui me convient parfaitement... Je rencontre toutes sortes de gens rigolos qui viennent prendre un pot chez leur pote Ricet, je suis initié au Tour de France et je fais des randonnées en voiture dans la campagne suisse.

C'est pendant cette semaine passée avec Ricet que je me suis réellement attaché à cet homme simple, sincère et si farfelu. Il est devenu petit à petit une sorte de figure paternelle réconfortante, ouverte, tolérante et à l'écoute de mes émotions. Et Añe s'est occupée de moi avec tant de chaleur, de tendresse et d'humour qu'elle m'a rappelé la mère que j'avais perdue quelques années auparavant. Je les aime profondément et je me sens un peu comme le fils qu'ils n'ont jamais eu.

Je suis retourné les voir deux autres fois en Europe, accompagné de ma petite Josée qui est immédiatement tombée amoureuse de ces deux êtres exceptionnels. Ricet et Añe ont vu notre couple se développer, ils se sont amusés à nous regarder devenir inséparables. Comme eux... Pour notre mariage, ils nous ont fait parvenir une cloche à vache suisse (je ne sais toujours pas si c'est la cloche ou la vache qui est suisse...) sur laquelle ils ont fait graver nos prénoms. Un cadeau inusité, unique et comique, à leur image.

Je souhaite que Josée et moi, nous soyons aussi beaux, aussi amoureux et aussi délinquants que Ricet et Añe le sont après vingt ans de vie commune. J'espère qu'on pourra encore longtemps faire la fête tous les quatre et si papa veut se joindre à nous, y a pas d'problème! Bien que Ricet ait été atteint d'un cancer et qu'il soit en rémission, je souhaite que ça prenne des décennies avant qu'il ne chante une dernière fois: «Ah! c'que j'suis content que tu sois venu à mon enterrement...»!

L'air commence à se rafraîchir et papa doit avoir terminé sa sieste. Alors je retourne au chalet et je rentre le stock de poissons à congeler. Je remercie Claude pour cette magnifique journée et lui dit «au revoir», car papa et moi devons reprendre la route le lendemain matin. J'ouvre la porte du chalet et j'aperçois papa assis près du foyer, lisant son journal (il doit ben en être rendu à relire les dernières annonces classées: me semble qu'il feuillette le même journal depuis deux jours...). Il s'est reposé quelques heures, il est détendu et de bonne humeur. Et, évidemment, il a faim. Comme nous avons mangé chaud au dîner, nous picossons dans des assiettes de viandes froides, de fromages, de carottes, de desserts...

Le soleil se couche lentement et colore le lac de rouges et d'orangés éclatants. Les grillons se mettent à chanter, on entend le *flic-flac* de l'eau qui vient s'étendre sur la berge. Papa se prépare un café et me rejoint à la table. À sa façon de me jeter des coups d'œil et de tourner la cuillère dans sa tasse de café, je devine qu'il a envie de parler. Qu'il en a besoin. Et j'ai tellement envie de l'écouter... Je ne veux pas le brusquer; je lui souris et j'attends qu'il soit prêt.

– C'est une maudite belle fin de semaine que tu me fais passer là... Merci beaucoup, Jean-Marie...

– C'est toi, papa, qui me fait un cadeau. Combien de mes chums rêveraient de passer deux jours comme ça avec leur père... Ça fait longtemps qu'on n'a pas été aussi proche l'un de l'autre. Comme quand j'étais petit... Ça m'a tellement manqué... Pourquoi est-ce que c'est arrivé, papa? Pourquoi on s'est perdus comme ça?

Il me couve de ses magnifiques yeux bleus, prend le temps de trouver ses mots et me dit doucement:

– C'est la vie, ça, mon fils.

CHAPITRE 6

Lorsque tu es vrai et authentique, il n'y a que les imbéciles ou les êtres méchants, donc profondément malheureux, qui ne sont pas réceptifs à ta sincérité.

Papa

C'est la vie, ça, d'être déçu par son père, de réaliser qu'il est loin d'être le héros de notre enfance? C'est la vie, ça, de savoir qu'il te ment chaque fois qu'il rechute ou qu'il perd de l'argent au *gambling*? Qu'il fuit ton regard parce qu'il ne sait pas comment te parler? C'est la vie, de croire qu'on n'est pas à la hauteur des attentes des gens qui nous entourent, de se sentir incompris, de penser qu'on ne mérite pas d'être aimé? Et de voir sa mère pleurer, souffrir, se tuer à petit feu et mourir à 49 ans? D'avoir peur de la mort, de l'alcool, de la nourriture? De s'attacher à n'importe qui, entièrement, parce qu'on pense que personne d'autre ne va t'aimer? De faire confiance, puis d'être trahi ensuite? Encore et encore? De culpabiliser comme un malade chaque fois qu'on éternue de travers? C'est la vie, ça, de croire qu'elle ne vaut pas la peine d'être vécue? Ben fuck!

– Tu vois, mon petit Jean-Marie, ce piano-là, c'est à toi... L'enregistreuse, c'est à toi, mon auto, ça va être à toi quand tu seras grand....

Quand? «Quand il va être mort?», que je me dis dans ma tête... Ce n'est pas la première fois qu'il me fait ce genre de promesses. Il m'a promis des voyages, un nouveau vélo, sa Mercedes, une fin de semaine à la pêche. Je sais que lorsque papa est soûl, il n'a aucune notion du temps. Tout ce qui l'anime, c'est la culpabilité. Je l'ai compris dès l'âge de huit ans.

– Papa, quand est-ce que je peux emporter l'enregistreuse dans ma chambre?

– Quoi?

– Tu m'as dit l'autre jour que tu me la donnais!

– J'ai jamais dit ça!

– Ben oui, t'sé, l'autre jour, quand t'étais dans le bureau... Tu m'as demandé d'aller chercher une bière pis quand je suis revenu, tu m'as dit que tu me donnais ton enregistreuse...

– Ah oui... Je... je me souviens... Euh... non; j'ai dit que tu pourrais t'en servir quand je suis là... Retourne jouer dehors.

Est-ce que papa est un menteur? Ou qu'il ne se rappelle de rien? Ou qu'il me promet toutes sortes de choses pour que j'aille lui chercher sa bière? Très jeune, j'ai appris à ignorer ce qu'il disait lorsqu'il avait bu. J'aurais aimé le croire, comme les autres petits garçons croient leur père lorsqu'il leur promet de les amener au bord de la mer pendant les vacances d'été et qu'en septembre, ils me content toutes les activités qu'ils ont faites ensemble... Mais je sais que mon père est différent, qu'il raconte n'importe quoi quand il a un verre dans le nez. C'était ma première leçon des choses de la vie: ne pas croire mon père quand il a bu. Essayer de ne pas le juger non plus. Maman m'avait bien fait comprendre que ce n'était pas mon papa qui me mentait: c'était l'alcool. Même pendant sa longue période de sobriété, combien de fois m'a-t-il promis de venir assister à mes parties de football, à mes séances d'impros au cégep, à mes spectacles de musique avec mon groupe *Alexx*? Bien sûr, il y avait les tournées en auto avec lui et les parties de hockey au Forum, les Serge Savard, Guy Lafleur, Gary Carter, Raymond Devos, Charles Aznavour, Michel Drucker, Jean-Paul Lemieux que je rencontrais. Mais ça fait mal pareil, de ne pas pouvoir faire confiance à son père...

Même chose pour le *gambling*. Il arrive un moment où, quand on passe de l'adolescence à l'âge adulte, l'image du père prend des proportions un peu plus humaines, moins mythiques. C'est normal. Mais est-ce normal de trouver dans une poubelle des bouts de papier déchirés et qui, recollés, indiquent les gros montants d'argent gagés la veille par son père avec ses *p'tits amis*, lors d'une partie de cartes? Est-ce normal d'apercevoir de plus en plus souvent ta mère assise dans un coin du salon, silencieuse, une coupe de champagne à la main, la bouteille à moitié vide à ses pieds? Seule, pendant que ton père, son mari, joue au golf ou au *black jack* et revient à la maison aux petites heures du matin?

Vers l'âge de 21, 22 ans, j'ai commencé à faire une sorte de chasse aux sorcières contre mon père. Je fouillais partout pour trouver des preuves de son problème de *gambling* et les lui mettre sous le nez, pour qu'il admette enfin qu'il avait un problème. La colère me guidait, le désir de l'aider aussi. Et lorsque je pouvais le confronter, chaque fois, c'était la même chose: il me mentait. J'abordais le sujet, chiffres à l'appui, et il me lançait, enragé: «T'as jamais manqué de nourriture, t'as été bien élevé, t'as jamais manqué de rien, laisse-moi donc faire ce que je veux avec mon argent!» Évidemment qu'il pouvait faire ce qu'il voulait avec son argent, mais pas en nous mentant en pleine face, pas aux dépens de maman et de la famille. J'avais beau savoir que son problème de *gambling* était aussi compulsif que son alcoolisme, que c'était un autre aspect de sa maladie émotive, ça m'enrageait. Je me sentais impuissant, surtout face au désespoir de maman qui voyait s'écrouler petit à petit tout ce qu'elle avait bâti en vingt ans: sa famille qui se désagrégeait, la carrière de son mari qui, ayant souffert financièrement de son passage en France, ralentissait, la maison qu'elle avait retapée et décorée, créant ainsi un lieu magique pour nous réunir, qui avait été vendue parce que devenue trop vaste et pour payer des dettes. Le jour du déménagement, lorsqu'elle avait fermé la porte de la maison d'Outremont, elle s'était mise à pleurer; arrivée devant le Fort de la Montagne où ils avaient loué un grand appartement, elle pleurait encore. Papa disait que c'était une situation temporaire, que nous n'allions pas vivre ici longtemps, que c'était *en attendant*. En attendant quoi? Que Godot rembourse ses dettes? Qu'il gagne le million avec sa centaine de billets de loterie hebdomadaire? Maryse était partie de la maison depuis quelques années en claquant la porte, Catherine étudiait à Toronto, Anne-Élizabeth habitait avec nous, mais elle sortait à peine de l'adolescence et commençait à s'intéresser à la mode, aux garçons ou au dernier album de musique *new wave*. La vente de la maison avait rapporté beaucoup d'argent. Maman avait convaincu papa de placer en fiducie un certain montant pour chacun des enfants. Elle avait perdu la maison de ses rêves mais, au moins, notre sécurité financière était garantie. D'autant plus qu'elle s'inquiétait de nous voir entreprendre des carrières dans le domaine des arts; elle connaissait le milieu, la jungle, pour l'avoir fréquentée aux côtés de papa pendant plus de vingt ans. Un an plus tard, maman m'annoncait que papa n'avait pas tenu sa promesse, que l'argent avait servi à produire son spectacle en France et à payer des dettes. Elle m'avait fait cet aveu en larmes, et soûle. J'ai refusé de la croire pendant un bon bout de temps...

Je tournais en rond dans le grand appartement, je ressentais de plus en plus d'agressivité envers l'irresponsabilité de papa, la passivité de maman et envers moi-même surtout. J'étais mal dans ma peau, je n'avais pas de blonde, je ne savais pas ce que j'allais faire de ma vie. Papa essayait parfois de se rapprocher mais il était trop tard, je l'avais déjà tassé dans un coin de ma réalité – un petit coin – pour me protéger. S'il nous avait consacré un peu plus de temps, à maman, à mes sœurs et à moi, un *minimum* de temps, j'aurais plus facilement pardonné ses escapades sur les terrains de golf, où il pouvait gager des centaines de dollars sur un trou. Mais non! Il s'avachissait sur son divan et regardait le baseball ou le hockey en notre présence, dans notre face. Il s'enfermait dans une bulle, décrochait de la réalité, de sa carrière, de ses problèmes d'argent, nous laissant tous dehors. J'avais l'impression de ne plus avoir de père. C'est dur de faire tomber de son piédestal quelqu'un que tu as passé presque vingt ans à admirer, à respecter, à aimer. Je l'aimais toujours, mais c'était difficile...

À qui pouvais-je me confier? Les gens étaient en admiration devant Jean Lapointe, le porte-parole des alcooliques et toxicomanes, l'artiste qui remplissait les théâtres pendant des mois, le merveilleux acteur de *Duplessis, Les Ordres, J.A. Martin photographe*... À partir de l'âge de 19, 20 ans, ça m'agaçait d'entendre les gens me répéter que j'étais donc chanceux d'avoir un tel père quand je savais pertinemment que la réalité n'était pas toujours rose... Papa rechutait parfois. Pendant deux ou trois jours, il prenait un coup, puis il arrêtait de lui-même. C'est tout. Mais c'était suffisant. Maman s'effondrait un peu plus et je cherchais des moyens de fuir cette réalité de plus en plus lourde.

J'suis soûl! Pour la première fois de ma vie, j'suis paqueté. Ben... un peu. C'est drôle... J'me sens léger, léger... Et en plus, personne croit que j'suis soûl. Voyons don'! Jean-Marie Lapointe peut pas être *paf*! Pas lui! Les gens pensent que j'fais le bouffon, que j'fais semblant... Désolé, les gars, je serai pas votre chauffeur désigné ce soir, c'est moi qui est chaud!

Pour la première fois de ma vie, je bois de l'alcool. J'ai jamais aimé le goût de l'alcool, du vin ou de la bière, mais mon chum Pat Lesage m'a choisi un *drink* pas trop pire, un *screw driver*... C'est vraiment tordant parce que, effectivement, «The driver is screwed up!». C'est un chum, ça, Pat. Au début, y voulait absolument pas que j'boive mais je l'ai tellement achalé qu'à un moment donné, exaspéré, il m'a lancé: «Tu veux te soûler mon esti? Ben tu vas boire...». Sauf que, le p'tit vlimeux, il a demandé à la *barmaid* de diluer un peu mon *drink*... Ça a pas marché longtemps, j'me suis rendu compte que le *buzz* diminuait... Ça fait que j'me suis adressé à une autre *barmaid*. Soûl, mais pas niaiseux...

J'en reviens pas comment tout est comique quand t'es guerlot. Tout le monde est hilarant, tout me fait rire, même ma voix: j'ai juste à dire un mot, pis je pars à rire! Maryse a un macaron d'accroché sur son *jacket* de cuir qui dit «The more I drink, the better you look!» Maudit, que c'est vrai! Si j'avais su, j'me serais soûlé ben avant ça. Bon, faut dire que depuis que j'suis tout p'tit, j'veux rien savoir de l'alcool. J'en ai même un peu peur; j'ai assez vu papa marcher tout croche, marmonner toutes sortes d'affaires pis fondre en larmes. Pis je trouvais don' que mes amis avaient l'air épais quand ils étaient chauds et je riais d'eux... pour le fun, ben sûr. Mes amis, c'est des vrais chums; y m'ont toujours respecté quand j'disais que je voulais pas boire. Même qu'une fois, un gars que je connaissais un peu m'a dit que j'buvais pas parce que j'étais moumoune. Ça a pas été long que Pat Lesage, Pat Beauchemin pis Junior Vaillancourt sont allés voir l'imbécile. «Èye! Notre copain boit pas parce qu'il a de bonnes raisons de pas boire, O.K.? Fait que respecte ça, fiche-lui la paix, pis la moumoune, c'est toi!». J'suis assez fier d'avoir des amis comme ça. J'vous aime, les gars!

Un autre *screw*, s'il te plait, barman! Ben tassé! Y était temps que j'goûte à ça, moi. J'ai vingt ans pis j'avais jamais pris une goutte d'alcool de ma vie. Maudite Chantal! Elle est encore en train de *cruiser* son stupide Marc... J'en reviens pas! Ça fait un an qu'on sort ensemble mais dès qu'y se pointe le nez, lui, elle lui tourne autour, elle gazouille, pis elle fait des manières. Elle m'a même repoussé quand j'ai voulu lui parler. Ben j'vas lui montrer, à Chantal. Elle a pas le droit de me faire de la peine comme ça, elle a pas le droit! Moi, j'y ferais jamais une affaire pareille. Moi, quand j'suis en amour, je donne tout. Y en a qui dise que j'suis trop dépendant d'elle mais c'est pas vrai: c'est parce que je l'aime. J'aurais pu *cruiser* une autre fille, pour la faire chier, mais j'suis pas capable. Y a que Chantal que je trouve belle, intelligente pis fine. Ça fait que j'ai décidé de boire. Elle va se sentir tellement coupable qu'elle va oublier son stupide Marc pis elle va revenir en s'excusant. En attendant, j'ai du fun, je rigole, je me sens lousse et un peu euphorique. C'est un bon *feeling*, même si j'trouve ça un peu bizarre. Ah! tiens, Chantal me regarde. J'espère que tu t'sens mal parce que c'est de ta faute si j'suis sur une brosse. Èye! Où est-ce qu'elle s'en va? Comment ça se fait qu'elle vient pas me voir pis s'excuser? Ah! pis qu'elle aille au diable! J'm'en fous! J'veux un autre *drink*.

Qu'est-ce qu'y a Pat? Tu veux t'en aller toi aussi? Ben quoi, y est juste deux heures... Y reste encore une heure, pis en une heure, combien de verres que j'peux boire, don'? Bon, bon, on s'en va si tu y tiens. Mais c'est ben pour te faire plaisir parce que *toi*, t'es un chum, toi, tu me laisseras pas tomber comme l'autre, là, Chantal. J'te suis, mon Pat. T'as faim? Ben on va aller manger, d'abord.

Wow! J'avais jamais remarqué qu'y avait autant de couleurs dans un *delicatessen*! Les néons verts, les bancs orange, le plancher carreauté gris et jaune et sur le gros menu plastifié au-dessus du *grill*, toutes les couleurs se mélangent: les rouges des tomates, les blancs sales des patates frites, les bruns gluants des *hamburgers-steak*... Une chance que j'ai l'estomac solide... D'ailleurs, j'vas prendre un hot-dog michigan, pis un sous-marin au salami, pis une poutine jumbo, pis...

– Johnny, parle moins fort...

– Ben voyons don', j'parle pas fort, Pat...

– Èye, Lapointe, t'es soûl, câlisse!

Vlan! Y m'aurait donné un coup de poing sur la gueule que j'aurais pas été plus sonné. «Lapointe, t'es soûl!» Ça, c'est quelque chose qu'on dit à mon père, pas à *moi*. Pas à Jean-Marie Lapointe! J'sais pas pourquoi ça m'assomme tout d'un coup. J'suis soûl. Devant mon chum Pat qui a toujours été fier que j'boive pas, que j'me laisse pas entraîner, que j'me foute de ce que les autres pensent. Pis j'étais soûl devant mes autres amis aussi. Maudit qu'y doivent être déçus... «Lapointe, t'es soûl!» J'le sais que j'suis soûl mais... c'est pas moi, ça, Pat, c'est pas le Jean-Marie normal... J'pensais jamais que quelqu'un me dirait ça un jour. «Lapointe, t'es soûl!» Pat, je le ferai plus jamais... T'avais raison, j'aurais pas dû boire...

– Pat, j'veux rentrer chez nous.

Je n'ai jamais repris un verre d'alcool. Parce que, le lendemain, j'ai eu peur. J'avais aimé perdre un peu la tête, j'avais aimé me sentir sans complexes, sans inhibitions, inatteignable; pendant quelques heures, j'avais oublié le poids de ma réalité et ça m'avait fait du bien. Ça aurait été tellement facile de recommencer et d'échapper à mes angoisses, à mes insécurités! Mais ça m'avait fait du mal aussi. Je m'étais senti moche, désorienté, coupable, un peu à l'envers... Et tellement déçu de moi-même! Je m'étais servi de l'alcool pour faire du chantage émotif à Chantal puis, voyant que ça ne fonctionnait pas, j'avais bu pour m'évader. Il n'était pas question que je devienne comme mon père. J'étais bien conscient qu'une brosse n'avait pas fait de moi un alcoolique, mais j'étais tellement mal dans ma peau, tellement excessif, tellement en colère...

Je n'avais jamais eu de secrets pour mon père auparavant. Il était mon grand confident. Mais je ne lui ai pas dit que j'avais pris un coup: ça l'aurait probablement inquiété. C'est d'ailleurs vers cette époque que j'ai commencé à lui cacher certaines choses, à répondre par une blague lorsqu'il me posait des questions personnelles; lui, de son côté, s'est mis à éviter mon regard parfois trop appuyé et à feindre de ne pas remarquer qu'on s'éloignait l'un de l'autre, petit à petit.

Je n'ai jamais repris un verre, même si les raisons d'être en colère et de fuir ne s'étaient pas estompées...

Pour mes 18 ans, mon père m'a fait venir dans son bureau et m'a offert 1000 $. Tout comme le fait de pouvoir s'acheter une grosse maison à Outremont ou une Rolls-Royce, même d'occasion, donner 1000 $ à son fils pour ses 18 ans signifie qu'il a atteint ses buts, ses rêves; que les quatre tours de chant par soir dans des clubs minables sont loin derrière lui, qu'il a gravi tous les échelons, s'est battu, a résisté au découragement, aux échecs et qu'il est arrivé au *top*. «Le jour où je vais pouvoir me payer une Rolls-Royce, ça voudra dire que j'ai réussi», disait-il à ma mère, pendant leurs premières années de mariage. Ce n'est pas tant l'argent en soi qui a une valeur à ses yeux, mais ce que ça représente: il peut offrir la meilleure éducation possible à ses enfants, les collèges privés, les leçons de musique, de théâtre, les camps de vacances; et à sa femme, la sécurité, la plus belle maison, les voitures de luxe, les grands décorateurs, les vêtements, les bijoux et les voyages... Tous ces biens matériels sont, en fait, des symboles de réussite. Mais une grosse ombre au tableau l'empêche de savourer pleinement le fruit de vingt ans de travail acharné: l'abandon des trois filles qu'il a eues de son premier mariage.

Donc, après m'avoir donné mon énorme cadeau d'anniversaire, papa décide de me parler d'homme à homme et de me révéler une partie de son passé. Il m'annonce qu'il était marié lorsqu'il est tombé amoureux de maman et qu'il a trois petites filles – que j'ai donc trois demi-sœurs! –, Danielle, Michelle et Marie-Josée. Il a cessé de les voir depuis des années parce que chaque fois qu'il allait les visiter, les bras chargés de cadeaux, elles croyaient que leur père leur revenait enfin, puis pleuraient pendant des jours après son départ; alors, il culpabilisait et se soûlait la gueule, de retour à la maison. Maman, qui devait endurer ces crises de culpabilité, ne voulait rien savoir de ce passé dont elle était jalouse. Le bureau d'avocat d'oncle Gabriel, le frère de mon père, s'occupe donc de gérer l'argent que papa lui refile pour tout ce qui concerne les trois filles: les frais de scolarité, les allocations, la pension, etc. Papa croit me dévoiler un secret mais je connais déjà l'existence de Marie-Josée...

– T'es le fils de Jean Lapointe? Je connais ta sœur.

– Laquelle? Maryse, Catherine, Anne-Élizabeth?

– Non, Marie-Josée.

– J'ai pas de sœur qui s'appelle Marie-Josée.

– Ben elle dit que son père, c'est Jean Lapointe...

La première fois, j'avais haussé les épaules. Les fois suivantes, j'avais pensé que c'était une pauvre fille qui avait besoin d'attention et qui faisait croire aux gens que son père était une vedette. Mais je recontrais de plus en plus de personnes qui connaissaient cette Marie-Josée et je commençais à me poser des questions. Et si c'était vrai? Et si papa avait une autre femme, d'autres enfants? Et si... Je me rappelais soudain des discussions auxquelles on mettait abruptement fin à mon approche, des remarques étouffées, des regards fuyants. Un jour, grand-maman Lapointe s'était échappée en disant combien mon père avait été fier à ma naissance: il avait enfin un fils, après toutes ses filles. Et j'avais pensé qu'elle commençait à être mêlée, grand-maman: y a juste Maryse avant moi.... Ou ce garagiste de Ville LaSalle qui, pendant que papa était aux toilettes, m'avait dit avec un grand sourire: «Ça fait longtemps qu'on l'avait pas vu ton père; il vient plus voir ses enfants?» Ben voyons, il est mélangé le monsieur, on n'a jamais habité à LaSalle... J'avais jonglé avec ces questions pendant un certain temps puis, j'avais laissé tomber. Pour ne pas perturber l'équilibre de mon mobile. À mes yeux, cette facette cachée de la vie de mon père s'additionnait à l'équation papa + alcool = pas mon papa. Alors, je décidais d'ignorer la réalité une fois de plus en me disant que, si c'était vrai, je le saurais bien un jour.

Eh bien, c'est vrai. Et ma famille ne s'est pas soudainement élargie d'une demi-sœur mais bien de trois. Mon père me raconte cette facette de son passé d'un ton relativement calme, posé, mais je sens qu'il ne dit pas tout. En plus, il me fait promettre de ne rien dire à Catou et Élizabeth (Maryse est déjà au courant); il leur en parlera un jour. Et surtout, de ne jamais mentionner leurs noms devant maman.

Donc, pour mes 18 ans, mon père m'a donné trois demi-sœurs comme cadeau d'anniversaire. Pourtant, je crois que c'est à lui-même qu'il faisait un cadeau; il avait *besoin* d'en parler. Mais je n'avais pas nécessairement besoin d'entendre ces secrets, ces silences, cette culpabilité. Car c'est ce que j'ai reçu: un sentiment de culpabilité énorme et lourd.

Sur le coup, ça m'avait amusé d'apprendre que j'avais trois autres sœurs. Me ressemblaient-elles? Aimaient-elles la musique, les sports, les animaux? Auraient-elles voulu me connaître? Que savaient-elles de nous? Je me posais toutes sortes de questions à leur sujet. Papa avait répondu à certaines d'entre elles mais plusieurs étaient restées sans réponse. Et le jour où je me suis demandé si elles nous en voulaient, un malaise s'est insinué en moi. Est-ce que ces trois filles nous détestaient de leur avoir pris leur papa? Je vivais dans l'opulence, j'allais dans les meilleures écoles, j'avais tout ce que je voulais et j'avais grandi en recevant l'amour de mon père. Et elles? Quel genre de vie avaient-elles, avaient-elles eu?

J'avais beau me dire que ça ne me regardait pas vraiment, que je n'étais pas responsable du passé de mon père, je culpabilisais. À cause de moi, de maman et de mes sœurs, ces petites filles avaient perdu leur père. Comment se sent-on lorsqu'on grandit sans son père, tout en apercevant de temps en temps des photos de lui et de sa nouvelle famille dans les journaux, en le voyant à la télévision ou en l'entendant à la radio? Comment se sent-on lorsqu'on vous demande qui est votre père ou ce qu'il fait, que vous pointez vers une affiche de spectacle ou une pochette de disque et que cet homme, Jean Lapointe, votre père, n'est guère plus que cela, dans votre vie: une image?

Je ne voulais plus penser à elles, je ne voulais plus me sentir coupable, imaginer trois petits visages qui pleuraient parce que leur papa n'était plus à la maison. Je ne savais tellement pas comment intégrer ces trois sœurs dans ma vie qu'un jour, lorsque la mère d'une copine m'a demandé si la rumeur qu'elle avait entendue était vraie, si j'avais réellement trois demi-sœurs, j'ai figé quelques secondes, j'ai bégayé et j'ai répondu que non, ce n'était pas vrai. Et voilà que moi aussi, je les tassais, je leur refusais une place dans mon petit monde protégé et privilégié.

Mon enfance me manquait de plus en plus. Je rêvais au père que j'avais eu, à nos soirées au Forum, aux coulisses de théâtre où je me cachais pour l'admirer. Et aussi, à la relative innocence de mes dix ans, à la sécurité affective qu'il m'était arrivé de ressentir dans notre grande maison avec papa, maman, mes sœurs, ma chienne Joséphine. J'étais empêtré dans ces émotions, traînant derrière moi une valise de plus en plus lourde de bons et de mauvais souvenirs, de secrets, de culpabilité... J'ai dans ma valise: un père alcoolique, *gambler*, absent, une mère malheureuse qui boit, elle aussi, des sœurs avec lesquelles je n'ai pas grand chose en commun, des demi-sœurs que je ne connais pas, un problème d'anorexie-boulimie, une carrière qui ne démarre pas vraiment et une envie de courir, de courir le plus loin possible... Je me cherchais des modèles, des références, des pères de substitution. J'étais si perdu, j'avais un tel besoin d'amour, de réconfort, de sécurité, que je m'attachais à n'importe qui et je me laissais faire mal. Je laissais les autres me blesser. Quand tu es le fils de Jean Lapointe, il se trouve toujours quelqu'un qui veut te connaître et qui prétend être ton ami, en espérant en tirer quelque chose...

J'avais rencontré une personne à qui je pouvais confier mes angoisses, ma peine, ma colère: Danielle Gosselin, mon professeur de psychologie au cégep. J'allais la voir de temps en temps dans son bureau et, au début, nous parlions de tout et de rien – de ses cours, d'approches thérapeutiques, du développement de la personnalité, de l'influence du milieu sur les comportements, etc. Fine mouche, elle avait lu assez rapidement entre les lignes et deviné ma détresse; peu à peu, je m'étais révélé à elle. J'avais pris l'habitude de lui raconter mes problèmes, d'abord entre deux cours puis, lors de rencontres en tête à tête au restaurant ou chez elle. Combien de fois m'a-t-elle invité à souper entourée de son mari et de ses enfants, dans un cadre relax, intime, qui me rappelait mon enfance? On jouait à des jeux de société, je me mettais au piano et j'interprétais certaines de mes compositions ou des petits morceaux pour amuser les enfants. Pendant trois ans, cette femme généreuse a été ma grande confidente et mon amie. Elle tentait de me donner des outils pour faire face à mes problèmes, à ceux de ma famille; elle m'encourageait chaque fois que j'exprimais mes émotions par le biais d'activités de toutes sortes, elle assistait à mes parties de football et d'impro, soulignait mes bons coups, mon talent de musicien ou d'acteur. Danielle était l'ancre, la veste de sécurité, le phare qui m'aidait à orienter ma vie affective; elle était ce que mes parents auraient dû être... Malgré tout, malgré sa présence et celle de mes grands amis Patrick, Sylvain, François et Junior, j'avais toujours besoin d'une soupape, d'un moyen de m'évader, d'oublier.

Alors je me suis mis à *gambler* moi aussi. À jouer avec le danger, le risque, à me *shooter* à l'adrénaline comme un accro se pique à l'héroïne. J'ai commencé par le parachutisme: sauter dans le vide, ne plus avoir de poids, la valise devenant baluchon, je ne pesais plus rien et j'avalais à grandes goulées le plaisir de vivre. J'adorais me lancer à des milliers de pieds du sol. Parfois, je réalisais aussi que ma vie était entre mes mains; il n'en tenait qu'à moi de tirer – ou pas – sur la corde du parachute... Si je décidais de ne pas tirer, c'était fini, je me plantais... Quel pouvoir grisant! Il m'est arrivé une fois de penser ne pas ouvrir le parachute. Je descendais, descendais, j'étais fouetté par le vent et pendant une fraction de seconde, je me suis dis: «Et si je ne l'ouvrais pas? Si j'arrêtais tout, maintenant?» Ce pouvoir sur ma vie, sur ma mort, m'a terrorisé. J'aurais pourtant dû l'apprécier, puisque je me retrouvais enfin en position de contrôle mais, justement, le simple fait de *pouvoir* me faisait peur... Je sautais à nouveau, pour le plaisir, le trip, l'effet euphorisant... Pour ne plus rien ressentir, que le sang palpitant à mes tempes...

La plongée sous-marine m'a offert le même type d'évasion, de sensations fortes, de risques. En plus, je réalisais un rêve d'enfance: respirer sous l'eau, frôler les poissons, admirer leurs couleurs, leurs formes étranges, leur langage muet. Je volais dans l'eau, je flottais; encore une fois, j'étais léger, léger... Et si, à cent pieds sous l'eau, je me débarrassais de ma bombonne, ou qu'elle cesse de m'envoyer de l'air comprimé? La moto, les voitures sport... rouler à toute vitesse, être grisé par la liberté, par toutes ces drogues qui me gelaient, me donnaient le sentiment de vivre à plein et, parallèlement, me permettaient de m'évader.

L'évasion... La fuite... Mon père est autodestructeur, comme la plupart des alcooliques et des toxicomanes qui fuient une réalité qu'ils trouvent ennuyante, décevante, déprimante, sans espoir; ils se cachent et se détruisent. L'alcool, la drogue ou les médicaments leur permettent de survivre. Papa a longtemps tenté de fuir sa culpabilité, ses démons, son incapacité à affronter ses propres émotions. Maman s'est carrément tuée à coup de verres de vin.

À la différence de mes parents, les rares fois où j'ai eu envie de fuir, je n'ai pas eu envie de survivre: j'ai voulu mourir. Tout de suite. Sans perdre de temps. Je n'ai jamais pu supporter l'idée de me regarder me détruire à petit feu. Tant qu'à essayer de geler ma douleur, autant en finir le plus rapidement possible. J'ai eu des idées suicidaires, comme bien des gens probablement.

J'aimais trop vivre pour me détruire lentement et souffrir. Mon issue de secours n'a jamais été l'alcool ou la drogue. C'était la mort. Le suicide.

J'ai vraiment voulu mourir à l'âge de 25 ans. J'ai voulu me tuer. En finir une bonne fois pour toutes. Je sortais d'une relation de cinq ans, je n'avais pas de travail, aucune audition n'aboutissait, je pesais plus de deux cents livres et n'étais pas en grande forme; la plupart de mes amis étaient trop occupés pour passer beaucoup de temps avec moi, maman buvait de plus en plus, papa était absent de ma vie. Il m'évitait, je faisais de même, j'étais seul à la maison avec ma chienne Brunante... et j'avais deux pistolets rangés dans un coffre-fort, au sous-sol de mon appartement. Je m'entraînais au tir à la cible et je possédais mon permis depuis quelque temps. Durant trois mois, me lever le matin m'avait demandé un effort incroyable. Je le faisais parce que Brunante devait aller dehors. Le plancher du sous-sol en terre battue aurait étouffé le bruit du pistolet, un plastique isolant recouvrait les murs, j'étais seul... tout était prêt! Je résistais du mieux que je pouvais, je prenais ça une journée à la fois, comme les A.A. Je me disais: «Essaie de passer à travers la journée et si tu n'en peux plus, il y a toujours le sous-sol...» Trois mois épuisants. Une centaine de jours qui m'ont semblé durer cent ans. J'étais si seul, si malheureux, si fatigué...

Un après-midi, déconnecté de la réalité, zombie, je descends au sous-sol, laissant Brunante en haut des marches. Je sors un pistolet du coffre-fort et je glisse une seule balle dans le chargeur. Les objets, les sons, les odeurs, les gestes revêtent tout à coup une couleur unique, particulière: c'est la dernière fois que je sens, que j'entends, que je touche, que je ressens... Un silence noir m'engloutit. L'arme à la main, je me donne quelques minutes pour dire au revoir, dans ma tête, aux gens que j'aime. Curieusement, je me dis que mes sœurs, aussi hypersensibles et parfois, aussi désespérées que moi, vont comprendre mon geste. Que maman, dans sa brume au vin blanc, ne réagira peut-être pas tellement ou qu'elle s'enfoncera encore plus dans son angoisse ou, au contraire, sera tellement secouée qu'elle décidera de se prendre en mains. Que papa... Papa va avoir de la peine... Que Patrick... Que mon grand chum Patrick... Que... Malgré l'état second dans lequel je me trouve, je commence à percevoir la douleur que je suis à la veille d'infliger à toutes ces personnes qui m'aiment. Et puis, j'imagine Brunante, qui n'a pas le droit de descendre au sous-sol, tournant sur elle-même en haut de l'escalier, pleurant... Brunante, qui décide de venir me rejoindre; Brunante, qui renifle ma mort et qui hurle. Le temps s'arrête quelques secondes. Lentement, je vide le chargeur, je glisse la balle dans ma poche de pantalon, remets le pistolet dans le coffre-fort, monte les marches de l'escalier et m'assois sur un fauteuil du salon. Les heures passent, je flatte machinalement Brunante, je suis vide. Je ne pense à rien, ou à trop de choses en même temps, je ne sais plus. Au début de la soirée, je téléphone à Patrick et lui raconte tout: ma douleur, mon désespoir, mon envie de mourir. Il pleure. Mon chum Pat pleure. Il ne sait tellement pas quoi dire, quoi faire... Pendant une heure, deux heures, je parle, il écoute. Enfin un peu apaisé, je lui fais la promesse de l'appeler à n'importe quelle heure du jour ou de la nuit si jamais mes idées noires reviennent; de l'appeler lorsque je suis déprimé; de l'appeler tout simplement parce qu'il est mon ami et qu'il m'aime.

J'ai conservé la balle.

Sous la colère, il y a toujours une douleur qui se cache. Ça n'a jamais été payant pour moi d'être agressif. Si je l'étais, c'était pour aider papa ou maman, ou encore pour soulager ma famille. Me soulager, me déculpabiliser, me libérer. Mais ma colère prenait des allures de vendetta personnelle. Lorsqu'arrivait le téléthon, je m'en prenais à l'image publique de mon père, je révélais à différentes personnes que mon père rechutait parfois, que ma mère avait un problème d'alcool, que ma famille était si dysfonctionnelle que j'avais participé à deux fins de semaine de thérapie familiale à la *Maison Jean Lapointe*, pour essayer d'y voir plus clair, de trouver des outils pour aider mes parents et me protéger contre leurs souffrances. Il n'y a rien de plus contagieux que le désespoir des gens qu'on aime. Ça t'englue, ça te mine, ça t'entraîne dans des bas-fonds qui ne sont pas nécessairement les tiens; ou bien, ça te renvoie à ta propre douleur sans que tu sois prêt à la confronter. On peut se noyer dans la peine des autres. Et la peine de ma mère était si grande...

Le téléthon suivant sa mort fut l'un des pires en dix ans. L'argent ne rentrait pas assez, j'étais à fleur de peau, je m'assoyais dans la loge de mon père, ma blonde Donna à mes côtés, ou bien je traînais en coulisses, essayant de donner un coup de main, mais j'avais l'esprit ailleurs. Je rendais mon père responsable du décès de maman. J'avais envie de prendre le micro et de crier aux gens que ma mère était morte à cause de cette maladie émotive, destructrice; je voulais faire comprendre au public que l'alcoolisme et la toxicomanie ne sont pas des signes de faiblesse de caractère, mais bien une maladie qui peut ravager des familles entières. Pour moi, ce téléthon était dédié à ma mère, à sa souffrance, la même que celle de milliers de personnes qui avaient besoin d'aide. J'en voulais à papa de ne pas en parler, de taire la vérité au sujet de la mort de maman, de ne pas utiliser cette image choc pour réveiller les gens et les convaincre de donner un peu de sous. Quelques dons de dix ou vingt dollars, et une vie pouvait être sauvée. Je voulais tout défoncer à coups de poing; j'étais agressif, malheureux, et je pensais à ma mère. J'avais envie de pleurer mais je contenais mes larmes. Il a fallu que Maryse me retienne de ne pas faire une crise en ondes. Nous étions assis, en coulisses, sur les marches menant à la loge de papa, et je pleurais de colère et de chagrin. Maryse, de tout son poids d'aînée, m'a raisonné, m'a fait comprendre qu'un pareil éclat à la télévision aurait semblé opportuniste, que ç'aurait blessé notre père au-delà de ce que je pouvais imaginer et que plusieurs membres de la famille n'étaient pas prêts à entendre la vérité. Le public n'avait pas à connaître la face cachée de notre vie, celle de papa, de maman. Notre père, malgré ses rechutes, ses faiblesses, ses mensonges et ses fuites, réalisait une belle œuvre en venant en aide aux alcooliques et aux toxicomanes. Révéler sa vie privée ne ferait que nuire au travail de tous les gens qui s'impliquaient dans le téléthon et dans les centres de désintoxication. Et des gens malintentionnés auraient pu penser que si Jean Lapointe n'avait même pas été capable de sauver sa propre femme, ça ne servait à rien de donner de l'argent. Sans compter le risque que les journalistes interprètent mal ma colère et ma douleur... De peine et de misère, je suis resté jusqu'à la fin du téléthon, mais le cœur n'y était plus; tout ce que je voulais, c'était me coucher dans mon lit, m'enrouler dans les couvertures et pleurer ma mère.

Je reviens du dépanneur, un sac de nourriture pour ma chienne Brunante à la main. Ma blonde Chantal et

Maryse doivent encore être en train de placoter. C'est fou ce qu'elles peuvent parler ces deux-là... Elles passent d'un sujet à l'autre sans prendre le temps de respirer. Films, pièces de théâtre, coiffure, le dernier roman de Irving, une nouvelle crème pour la peau, la chronique de Foglia, le nouveau chum d'une copine... Ça tient de la haute voltige! J'ouvre la porte: silence... Pourtant, j'ai bien aperçu la voiture de ma sœur stationnée un peu plus loin. J'entre au salon et les deux filles sont là à me regarder sans dire un mot. Maryse est encore plus blanche que d'habitude.

– Qu'est-ce qui se se passe?

– Papa aimerait qu'on se rende à Austin, demain ou après-demain, pour aller voir maman à l'hôpital. Elle ne va vraiment pas bien. (Maryse prend une grande respiration.) Papa m'a dit qu'il s'en voudrait toute sa vie si on devait ne pas voir maman avant qu'elle meure...

– Ben voyons, ça se peut pas! J'ai vu maman y a trois semaines et elle était pas si pire...

Papa m'avait téléphoné au gymnase pour me dire que maman était hospitalisée à Sherbrooke pour une jaunisse et j'étais allé la voir quelques jours plus tard. Bien sûr, elle était amochée et faible, ses mains tremblaient un peu à cause du sevrage qu'elle subissait, mais elle ne semblait pas vraiment plus mal en point que les mois précédents...

On se regarde tous les trois, atterrés. Depuis deux semaines, papa n'a cessé de nous dire que tout allait bien finalement, qu'il n'y avait pas de problème. Et voilà que...

J'appelle Catou et nous convenons de nous rendre à Austin le lendemain, y rejoindre Anne-Élizabeth et papa.

Maman est là, étendue sur le petit lit. Elle a le teint cireux, ses yeux sont jaunes et éteints. Et elle est si maigre, avec un gros ventre ballonné... Les images des petits enfants du tiers-monde, qui m'angoissaient tant lorsque j'étais petit, me reviennent en tête. Des solutés percent son bras décharné, la peau de son visage est si tirée qu'on ne voit que ses pommettes saillantes et ses yeux tristes. Tellement tristes que mon cœur arrête de battre une ou deux secondes...

Ses quatre enfants et son mari sont autour d'elle pour la première fois depuis le désastreux réveillon de Noël précédent. Elle a l'air heureuse de nous voir tous là, elle se force à sourire. Nous aussi. Nous parlons de tout et de rien, du spectacle que papa présente durant l'été dans la région, de la température, de l'été, des vacances. Elle me demande même si j'ai toujours du plaisir à conduire mon cabriolet. Moi d'ordinaire si bouffon en situations tendues ou émotives, je ne sais pas quoi dire. Je n'ai pas envie de dire quoi que ce soit. Nous sommes tous complètement atterrés de voir la dégradation physique qui s'est produite en si peu de temps. Le malaise est palpable, opaque, étouffant. Ça fait trois ans que je vois ma mère se détruire petit à petit, que je sais que si elle ne se prend pas en mains, c'est à l'hôpital qu'elle se retrouvera. Et la voilà. Ma maman. Ma toute petite maman qui est malade. Mais elle va s'en sortir.

Comme elle est très fatiguée, nous sortons tous de la chambre après l'avoir embrassée. Chantal croit avoir lu dans ses yeux une volonté de se battre contre la mort; Maryse, elle, n'a vu qu'une immense et ultime détresse. Je crois Chantal. Je veux croire Chantal, d'autant plus que papa tente de nous rassurer en nous exposant les chances de rétablissement de maman. Maryse a beau posséder une sorte de sixième sens que j'ai appris à respecter, je veux croire, je *crois* Chantal. De toutes mes forces.

Nous décidons tous de rester pour les prochains jours à la maison d'Austin, à une trentaine de minutes de l'hôpital. En compagnie de Chantal et de Catou, je retourne à Montréal pour ramasser ce dont nous avons besoin et aller chercher la chatte de Maryse, puis nous revenons à Austin. Nous laissons Brunante chez les parents de Chantal. Oncle Jean-Pierre, le frère de maman, nous rejoint pour quelques jours; son fils Marc-Antoine restera avec nous plus d'une semaine.

Tante Jacqueline, la femme de Gabriel, passe quelques heures avec nous. Oncle Sam aussi. Cécile nous accompagne presque tous les jours à l'hôpital, veille à ce que nous mangions, à ce que nous nous reposions un peu. Son mari est mort trois mois plus tôt et voilà que sa grande amie se meurt elle aussi. Elle comprend et ressent notre désarroi, notre peine, notre impuissance. Catherine, qui doit se marier avec le fils de Cécile dans un an, trouve beaucoup de réconfort auprès d'elle. Nous tous, d'ailleurs. Pendant quatre jours, nous nous relayons auprès de maman qui sombre peu à peu dans le coma.

Le lundi 15 juillet, maman ouvre les yeux de temps en temps, esquisse un sourire mais, déjà, elle n'est plus là. Chacun de nous passe de longs moments à lui parler, seul à seule, à lui tenir la main, à lui dire son amour. Papa vient régulièrement faire son tour mais il est incapable de rester longtemps auprès d'elle, tant ça le met à l'envers de voir maman si malade. Il espère un miracle. Moi aussi. Je la regarde... Je me sens impuissant, inutile. Coupable, aussi. Comment avons-nous pu la laisser se détruire comme ça? Je sais bien que nous avons tout essayé, qu'elle ne voulait pas s'en sortir, mais je ne peux m'empêcher de penser que ce n'était pas suffisant. Que j'aurais pu faire quelque chose de plus. Je ne sais pas quoi mais câlisse! que ça fait mal. Je voudrais retourner plusieurs années en arrière, lui ôter des mains sa coupe de champagne, la supplier de ne plus boire, la brasser jusqu'à ce qu'elle sorte de son brouillard morbide. Une phrase lancée il y a quelques années résonne sans cesse dans ma tête: «Je ne sers plus à rien!» C'est pas vrai maman! C'est pas vrai! Je lui prends la main, caresse ses cheveux, humecte ses lèvres avec une crème spéciale. Maman ne se laissait jamais toucher. Je l'ai prise dans mes bras une seule fois dans ma vie, lorsque je suis revenu de mon long voyage en Australie, il y a presque dix ans. Elle m'attendait à la maison les bras ouverts et je m'étais tenu longtemps contre elle tellement j'étais content de la voir. Et elle s'était laissée faire. Ma belle petite maman... J'ai envie de lui crier que je l'aime, que ce n'est pas parce que ses enfants ont quitté la maison que sa vie est finie, que nous avons tous besoin d'elle, de sa force, de sa générosité, de sa beauté, de sa grâce, de son intelligence; de ses yeux gris vert, de son sourire, de ses longues mains puissantes qui embellissent tout ce qu'elles frôlent. On va s'occuper de toi, maman, tu vas voir. Reste avec nous. Bats-toi, t'es capable, t'es la plus forte. Maman, ma petite maman d'amour...

Durant la soirée, les infirmières nous préparent à la mort de maman. Dans son profond coma, elle va tout doucement arrêter de respirer. Dans quelques heures ou quelques jours. Je ne peux pas supporter cette image; je refuse cette dernière respiration, ce dernier soupir. Je crois encore que maman va s'en sortir, qu'un miracle va se produire, et je veux rester à l'hôpital pour en être témoin. Chantal et mon cousin Marc-Antoine s'offrent pour passer la nuit avec moi. Maryse, après plusieurs heures de veille, aurait dû aller se coucher, mais elle sent qu'elle doit rester auprès de maman.

Les heures s'étirent. Nous attendons. J'ai beau refuser la réalité, elle s'impose à moi, peu à peu: maman va mourir. Peut-être... Probablement... Mais je ne veux pas me faire à l'idée de la mort de ma mère. Une maman, ça ne meurt pas. Ça reste avec toi pour toujours.

La respiration de maman ralentit. Comme nous ne voulons pas que papa prenne le volant, Maryse me demande d'aller à la maison et de le ramener avec Catherine et Anne-Élizabeth. Je ne veux pas quitter la chambre de maman. Je veux demeurer près d'elle. Mais Maryse a raison: papa ne doit pas conduire, il est trop nerveux et n'a presque pas dormi depuis plusieurs jours. Alors, je me penche lentement vers maman et lui dis merci. Merci tellement! Merci pour tout ce que tu as fait pour moi, pour nous tous: papa, Maryse, Catou, Babette. Pour tout le monde. Je t'aime, maman. Et je te demande pardon... Pour la peine que j'ai pu te faire, les déceptions, les larmes versées à cause de ton fils pas toujours gentil... Je ne veux pas que tu t'en ailles, mais... Mais même si je ne veux pas... Si tu veux partir, toi, c'est correct; ma petite maman d'amour. Je l'embrasse sur le front et vais rejoindre ma sœur dans le couloir.

– O.K., j'y vais Maryse. Mais maman va m'attendre, hein? Maman va être encore là quand je vais revenir, hein? Promets-moi que maman va m'attendre...

– Oui, Jean-Marie, maman va t'attendre.

Sur la route, je continue à parler à maman, à lui dire que je l'aime. Et puis... Tout doucement, je sens que c'est terminé. Qu'elle est partie.

De retour à l'hôpital, une heure plus tard, j'ai hurlé lorsque Maryse m'a annoncé que c'était fini, que maman était morte dans ses bras. Dans la nuit du mardi 16 juillet 1991, vers 3h20.

CHAPITRE 7

Ça fait vingt ans que je me cache
Derrière des millions de masques...

Extrait de la chanson
Me v'là tel que chu ben dans ma peau
Jean Lapointe

– Je sais que tu m'en as voulu pour la mort de ta mère, Jean-Marie. Moi aussi, j'm'en suis voulu. J'm'en veux encore. Pis j'vas vivre avec ça toute ma vie.

Il me fixe quelques secondes de ses yeux bleus un peu fiévreux puis, s'allume une cigarette. Ses épaules s'affaissent lentement, comme si un lourd fardeau glissait sur son dos, entraînant avec lui le reste de son corps.

– C'était ta mère, t'étais son fils unique. C'était normal que tu prennes sa défense contre moi... Que, par bouts, tu veuilles pus rien savoir de moi tellement t'étais en colère... Vous étiez si proches... Tu l'as vue souffrir et t'as tout essayé pour l'aider à s'en sortir, mais ça n'a pas marché... J'ai pas toujours su quoi faire ou quoi dire à ta mère pis... à toi non plus. (Il prend une grande respiration.) Si tu savais à quel point je me pardonne pas ce que j'ai fait! Tu peux pas savoir comment ça fait mal!

Pendant des années, j'ai espéré me retrouver seul à seul avec mon père pour lui cracher tout ce que j'avais sur le cœur: ma colère, ma déception, mon ressentiment; ses absences, ses fuites, ses trahisons, ses fausses promesses, son *gambling*, son irresponsabilité, sa lâcheté face à la douleur de ma mère, à la mienne. Puis, avec le temps, ma colère s'est atténuée et a fait place à des centaines de questions. Je suis parvenu peu à peu – en parlant à des gens qui le connaissent bien, en me dévoilant en thérapie, en me confiant à Josée – non pas à lui pardonner entièrement, mais à cesser de le juger et à accepter de comprendre les «pourquoi», les «comment», les «malgré tout». Comprendre mon père, *nous* comprendre. Et voilà que je suis assis à côté de lui, à la longue table à dîner du chalet, et je ne sais pas quoi dire. Le visage ravagé par la culpabilité, la cigarette tremblant entre ses doigts, mon père s'ouvre enfin à moi, me confie une terrible douleur, et une seule pensée m'occupe l'esprit: comment a-t-il fait, comment *fait-il* pour vivre? Avec l'angoisse qui l'accompagne depuis 50 ans, les crises de panique, les phobies, l'insécurité, l'alcoolisme, les pilules, les désertions, ma mère... S'il y a quelqu'un qui aurait eu toutes les raisons de vouloir en finir, c'est bien mon père. Pour la première fois de ma vie, le poids de la culpabilité qu'il traîne depuis si longtemps me saute aux yeux. Comment a-t-il pu survivre à cette lourdeur, à cette détresse, à cette désespérance?

– J'me reproche tellement de choses, Jean-Marie... Ce que j'ai pas fait pour tes sœurs et toi, pour tes demi-sœurs... Pour ta mère... Des fois, j'essaie de me convaincre que j'ai fait ce que j'ai pu faire, que j'ai fait ce que j'étais *capable* de faire, mais c'était pas suffisant. J'en ai jamais fait assez, pour vous tous... Et Marie est morte quand même!

Comment raconter les heures qui ont suivi? Comment raconter ses mains qui se tordent, ses sanglots, son soulagement de pouvoir enfin se vider le cœur? Comment décrire la tendresse que j'ai ressentie pour cet homme rongé par la culpabilité, les remords, les secrets enfouis au fond de lui? Pendant deux heures, ses émotions déboulent les unes après les autres, les souvenirs s'enchevêtrent, s'entrecoupent, s'égarent et retrouvent leurs places.

Pendant deux heures, je reçois la confession de mon père.

Il me parle du dernier Noël de maman, en 90. Nous avions tout essayé pour la convaincre d'arrêter de boire: les cures, les lettres d'amour, la douceur, la colère. Il ne restait que l'ultimatum familial. Nous nous étions entendus, les quatre enfants, pour boycotter Noël si maman ne nous promettait pas de ne pas boire plus d'un verre ou deux durant le souper. Papa était en colère, particulièrement contre Maryse, notre porte-parole. Il n'acceptait pas cette forme de chantage, surtout pas durant les Fêtes. Maman adorait nous recevoir pour Noël; même un peu paquetée, elle était néanmoins parvenue, les dernières années, à créér une ambiance qui nous rappelait les Noëls de notre enfance: le grand sapin décoré d'angelots anciens et de lumières blanches, la longue table à dîner couverte de bouffe présentée dans sa plus belle vaisselle, la musique, les cadeaux superbement emballés... Mais l'année qui venait de passer avait été si terrible en déceptions de toutes sortes – sa fuite de la clinique *Betty Ford*, son agressivité, sa santé déclinante... – que nous pensions sincèrement l'aider en exigeant qu'elle soit sobre. Si elle pouvait réaliser qu'elle était en train de tout perdre, même ses enfants, ça la réveillerait. Peut-être... En fin de compte, elle avait accepté de faire un effort.

Nous arrivons à Austin dans l'après-midi du 24 décembre. Maman, pas tout à fait sobre mais pas soûle non plus, nous reçoit avec un sourire un peu forcé, un sourire au bord des larmes. «Je n'étais pas certaine que vous viendriez...». Assise au pied du sapin, elle remplit nos bas de

Noël de petits cadeaux qu'elle est fière d'avoir achetés elle-même. Je m'avance vers elle, je l'embrasse et lui souhaite un joyeux Noël. Ses yeux un peu vitreux s'illuminent quelques secondes et elle me dit: «Je suis contente que tu sois venu, mon fils.» L'atmosphère est lourde, crispée; j'ai l'impression que nous marchons tous sur des œufs. Pendant deux ou trois heures, nous tentons d'animer la soirée: on se raconte des blagues, on tâte nos cadeaux pour deviner ce que c'est, on déconne et je peux lire sur le visage de ma mère la joie d'avoir ses quatre enfants à ses côtés mais aussi, un malaise, une douleur contenue. Tout à coup, je m'aperçois qu'elle n'est plus là; elle s'est enfermée dans sa chambre et nous devinons tous ce qu'elle est allée y faire. Nous ne disons pas un mot. Papa, découragé, allume la télé et s'affale sur le divan. Je descends jouer au *Pac-Man* avec Anne-Élizabeth. Une heure plus tard, j'entends maman crier d'une voix empâtée: «J'veux qu'elle s'en aille! Maryse ne m'aime pas, j'veux pas qu'elle reste ici!» Je rejoins papa et Maryse au salon; maman nous affronte du regard et retourne dans sa chambre. Papa a beau essayer de convaincre ma sœur d'ignorer ce que maman lui a lancé, je connais Maryse: elle ne restera pas. Non pas parce qu'elle prend au sérieux ce que maman lui a crié, mais parce qu'elle tient à respecter l'ultimatum, espérant, malgré tout, que maman comprenne que son problème d'alcool est en train de détruire la famille. Comme il est très tard, elle décide de remettre son départ au lendemain matin, et je sais qu'elle espère que Catherine, Anne-Élizabeth et moi la suivions à Montréal. Mais nous nous dégonflons, pour ne pas faire de peine à papa et aussi, parce ça ne nous est jamais arrivé de ne pas être tous ensemble pour Noël.

Le matin du 25 décembre, je vais donc reconduire Maryse à l'autobus qui la ramène à Montréal. J'ai de la peine pour elle: elle ne sera pas avec nous le soir de Noël.

J'essaie de la faire changer d'idée mais rien n'y fait. Je l'embrasse avant de la quitter et lui fais promettre de ne pas rester seule ce soir, de trouver des amis avec qui passer la soirée. Sur le chemin du retour, je retiens mes larmes. Ce qui faisait la joie et la fierté de ma mère s'est transformé en échec, en cauchemar; sa famille s'est désintégrée à cause de son alcoolisme.

Je retrouve les miens traînant à table. Papa rumine sa colère envers Maryse, maman boit son thé sans dire un mot, et mes sœurs se tournent les pouces, déconcertées. Nous décidons d'ouvrir nos cadeaux; ça va peut-être nous mettre dans l'esprit des Fêtes ou, à tout le moins, nous changer les idées.

Papa se lève et va vers la cuisine pour se préparer un café. Pendant que l'eau bout, j'observe son dos voûté, ses épaules tremblantes, sa tête penchée; on dirait qu'il a vieilli de dix ans en une nuit. Je m'approche de lui et mon cœur se serre: il sanglote en silence. Alors, tout doucement, avec beaucoup de pudeur, je lui frotte le dos. Il essaie de se calmer et parvient à dire, entre deux grandes respirations:

– Je pense que c'est notre dernier Noël avec maman.

C'est comme si j'avais reçu un coup de poignard dans le cœur. Je ne pouvais pas croire que papa ait perdu l'espoir de sauver maman.

– Tu pensais vraiment ça papa?

– Je savais tellement plus quoi faire, Jean-Marie; il n'y avait plus rien qui pouvait rejoindre ta mère, la sauver. La seule chose que j'pouvais faire, c'était de l'aimer, de lui donner un peu de tendresse et d'essayer de contrôler sa consommation. J'lui disais de pas avoir honte, qu'elle n'avait pas à se cacher et qu'elle pouvait boire devant moi, même si j'trouvais ça dur parce que... j'avais envie de boire moi aussi!

C'était notre grande peur, à mes sœurs et à moi, à ses amis, peut-être aussi à maman: que papa rechute. Pendant les quatre années qu'a duré la descente aux enfers de maman, cette inquiétude nous a tous hantés. C'est un miracle qu'il n'ait rechuté qu'une seule fois. Une brosse qui a duré trois jours, durant lesquels papa s'est enfui de l'hôpital – où il avait été admis croyant faire une crise cardiaque –, s'est caché chez une amie A.A. pour poursuivre sa cuite et s'est fait interdire de prendre l'avion qui devait l'amener en cure en Floride, parce qu'il était trop soûl. Trois jours terribles durant lesquels je l'ai vu boire, pleurer, s'emporter violemment contre toutes les personnes à sa portée, vouloir me frapper pendant que Maryse s'interposait entre nous deux, être malade, s'étouffer avec le sang qu'il vomissait, glisser dans un état comateux tel, que je pensais qu'il allait mourir sous mes yeux; trois jours épuisants physiquement et émotivement, à la fin desquels je suis allé le reconduire en voiture, en compagnie de Bertrand Petit, jusqu'au centre de désintoxication *Chit-Chat*, en Pennsylvanie. Je le vois encore fondre en larmes en lisant le petit mot que je lui avais remis avant de partir: «Cher papa, tu m'excuseras de t'avoir enlevé tes cartes de crédit mais je te connais... Bon courage et, comme tu me l'as dit si souvent, "vas-y jusqu'au bout!" Ton fils qui t'aime.»

Même durant les longues années où papa allait de rechute en rechute, il se trouvait toujours quelqu'un ou quelque chose pour le persuader de se faire soigner. Jean-Claude Lespérance, Bertrand Petit, Rodrigue Paré, le directeur de la *Maison Jean Lapointe* et maman, évidemment, trouvaient toujours de nouveaux arguments, possédaient des moyens de pression et utilisaient parfois même le chantage émotif pour convaincre papa d'aller en cure. Tandis que maman, elle, demeurait cloîtrée dans un refus catégorique; rien ne semblait l'atteindre, la toucher. Même pour son mari, ses enfants, elle ne voulait pas s'en sortir, ou ne le pouvait plus. Sa bouteille, remplie à ras-bord d'alcool, de colère et de désespoir, semblait plus chère à ses yeux que les personnes qui l'aimaient.

– Maman savait pas comment *dealer* avec son problème d'alcool... Pis moi non plus, des fois. Parce que pendant des années, ta mère m'a soutenu, m'a secondé; elle a toujours été là pour moi. Sans elle, j'aurais jamais fait la carrière que j'ai fait. Pis tout d'un coup, c'est elle qui s'effondre, elle qui se met à boire... J'perdais mon plus grand soutien, j'savais plus comment me tenir debout... Elle me renvoyait à mon propre problème d'alcool. Maman était tout d'un coup une sorte de miroir, pis j'avais pas envie de le regarder. Quand elle dégrisait, j'savais à quel point ça pouvait faire mal, comment la culpabilité remontait à la surface, avec la honte, la détresse... J'me reconnaissais tellement dans son comportement que... y fallait que j'me sauve, que j'm'évade. J'en pouvais pus, des fois...

Nous avons tous fui, à un moment ou à un autre. Pendant des années, moi aussi, j'ai ressenti énormément de culpabilité. Je n'arrêtais pas de me reprocher de ne pas avoir été plus près d'elle, de ne pas avoir toujours été à l'écoute de ses appels au secours. J'ai quitté l'appartement familial du Fort de la Montagne pour ne plus voir maman décoller lentement de la réalité, assise dans son coin, un verre de vin à la main. J'avais envie de la brasser physiquement, psychologiquement, moralement. J'avais tenté à quelques reprises de lui parler de son problème mais elle se fermait immédiatement comme une huître. Quelques jours avant que j'emménage dans mon nouvel appartement, j'avais retrouvé mes parents assis à la petite table à café de la cuisine. Maman pleurait et papa lui caressait doucement la main. «Maman veut savoir si c'est à cause d'elle que tu t'en vas...». J'avais répondu non, bien sûr; je voulais tout simplement vivre avec ma blonde. Mais c'était bien à cause de l'alcoolisme de ma mère que j'étais parti. Je n'en pouvais plus. J'avais suivi deux thérapies destinées aux membres de familles d'alcooliques à la *Maison Jean Lapointe* et dès la première journée, les thérapeutes nous avaient dit: «Tant que l'alcoolique ne veut pas s'aider, tu ne peux rien faire. Mais tu n'es pas obligé de couler avec lui ou elle. Apprends à te protéger, à sauver ta peau.» Mais comment vivre avec l'idée que tu as abandonné ta propre mère pour préserver ton petit confort, comment accepter tes limites, lorsque la vie de ta mère est en jeu?

– Un des moments les plus difficiles que j'ai eus à vivre pendant la maladie de ta mère, c'est lorsque toi et tes sœurs m'avez demandé de quitter la maison d'Austin et de laisser maman toute seule. J'avais accepté parce que vous pensiez que ça la secouerait peut-être assez pour qu'elle réalise qu'elle était en train de tout perdre. Mais j'pourrai jamais me le pardonner parce que, malgré tout ce que j'ai pu lui faire, malgré mes rechutes, mon agressivité, mes défauts, ta mère m'a jamais laissé tomber... Jamais! Pendant presque trente ans, Marie est toujours restée avec moi...

Une vague de sanglots l'empêche de continuer de parler. Après une réunion de famille élargie incluant Rodrigue et deux des frères de maman, mes sœurs et moi avions convaincu papa d'aller vivre ailleurs pour quelques jours dans le but d'isoler maman. Peut-être comprendrait-elle que son alcoolisme détruisait tout autour d'elle... Nous voulions la couper de tous les gens qu'elle aimait. Mais après une semaine, papa était retourné vivre avec maman, incapable de l'imaginer toute seule en train de se soûler. Notre plan était tombé à l'eau.

– Pourquoi t'avais fait ça, papa?

– J'étais pas capable d'être dur avec elle. Pis loin d'elle. Je m'inquiétais, j'avais peur que le feu prenne à la maison à cause d'une de ses cigarettes ou qu'elle ait un accident d'auto, comme c'est arrivé avec la camionnette. Toutes sortes d'images épouvantables me passaient par la tête. J'ai fait mon possible pour respecter votre volonté mais c'était trop difficile: il fallait que j'revienne à la maison. Pis j'm'en veux parce que y a peut-être certaines choses qui auraient fonctionné...

Je ne le crois pas. Non pas parce que j'essaie de me déculpabiliser – même une certaine objectivité n'amoindrira jamais mon sentiment de culpabilité envers ma mère –, mais parce que nous avons utilisé à peu près tous les moyens dont nous disposions et que maman refusait toujours de se faire soigner. Elle voulait se détruire. Pourtant, elle envoyait des S.O.S., elle me téléphonait en pleine nuit et, entre deux sanglots, parvenait à me dire: «Viens me chercher, Jean-Marie, viens m'aider!» Pourtant, dès que j'arrivais à la course, elle se refermait sur elle-même et prétendait n'avoir besoin de personne. «Tout va bien, mon fils.» Je ne saurais dire combien de fois je l'ai entendue m'envoyer cette phrase d'un ton dur, distant, sans réplique. Un soir que j'étais allé la rejoindre dans leur appartement du Fort, maman m'avait confié plein de choses: son rêve de jeunesse de devenir pilote d'avion – elle s'était résignée à n'être qu'hôtesse de l'air, les femmes n'étant pas acceptées comme pilotes –, les démarches qu'elle avait entreprises pour ouvrir une boutique Chanel, les ambitions qu'elle entretenait pour ses enfants... Papa n'était évidemment pas là et j'enrageais à l'idée qu'il l'ait laissée toute seule. Soudain, il était arrivé, un peu interloqué de me voir là, vu l'heure tardive. L'agressivité entre nous était palpable: je voulais l'engueuler et lui, sur la défensive, devait se sentir coupable; mais, en même temps, il devait penser qu'il n'avait pas de comptes à rendre à son fils. Et maman s'était redressée, camouflant sa peine, et m'avait dit: «Ça va bien aller, Jean-Marie, ton père est arrivé.» J'étais estomaqué: cinq minutes plus tôt, elle me suppliait de lui venir en aide et, tout à coup, la détresse semblait s'être volatilisée. J'ai deviné plus tard qu'elle n'avait probablement pas voulu que son mari et son fils se chicanent; malgré toute sa souffrance, ses rancœurs, son amertume envers papa, elle continuait à protéger sa famille, la relation entre le père et le fils. Et peut-être bien qu'elle se sentait réellement rassurée en la présence de papa. Mais ce n'était pas long qu'elle recommençait son manège, faisant semblant de perdre connaissance, appelant au secours à quatre heures du matin; elle avait même déjà annoncé à Maryse que papa était mort... N'importe quoi pour attirer l'attention puis la refuser, la rejeter, la repousser. Personne n'échappait à ses cris d'alarmes et à ses rebuffades. Papa encore moins que les autres.

– J'oublierai jamais la fois qu'elle a fait semblant de se noyer dans le lac. J'pensais vraiment qu'elle était en train de mourir. J'avais nagé jusqu'à elle et j'essayais de la ramener mais elle était si lourde que j'ai eu peur de couler moi aussi. J'pensais à toi, à tes sœurs, et j'continuais à la tirer vers la grève. Mais quand j'me suis rendu compte qu'elle prenait des petites respirations en pensant que je ne la voyais pas faire, je... je... j'étais tellement en *chrisss* qu'elle m'ait fait ça, qu'elle m'ait fait si peur, surtout que j'avais eu mon problème au cœur pas longtemps avant... Je l'ai ramenée sur le terrain et j'savais pas comment réagir: l'engueuler, la brasser, ou pleurer avec elle. Il fallait qu'elle soit à bout de ressources, qu'elle sache pus comment appeler au secours pour me faire une chose pareille. Mais j'y en ai voulu de m'avoir fait ça.

– On lui en a tous voulu...

– Et elle s'est refermée encore plus dans son angoisse parce qu'elle aussi, elle s'en voulait. (Il se tait quelques secondes, faisant tourner son briquet entre ses doigts.) Maman était prise dans un engrenage épouvantable. La coupe de champagne de temps en temps est devenue la bouteille de champagne en deux jours, pis en un après-midi, pis après... J'sais qu'elle buvait pour oublier la vente de la maison, l'énorme perte d'argent en Europe, pour oublier que vous étiez devenus grands et n'aviez plus autant besoin d'elle... Elle avait besoin qu'on s'occupe d'elle, qu'elle redevienne importante – comme si elle ne l'était plus! Pauvre Marie... Ça avait marché pour moi pendant vingt ans, pourquoi ça marcherait pas pour elle? Mais, pendant ce temps-là, l'alcool prenait emprise sur son comportement, sur ses décisions, ses émotions, son corps... Elle avait de plus en plus besoin d'alcool parce qu'elle culpabilisait de nous faire de la peine, de ne plus être la femme, la mère qu'elle avait été. Quand elle dégrisait, son corps, son âme lui faisaient mal, et ce qu'elle fuyait dans l'alcool ressurgissait. Alors, elle recommençait à boire. À peu près tous les alcooliques connaissent le maudit cercle vicieux... C'était pas vous autres qu'elle n'aimait plus, c'était elle-même.

Il dépose le briquet qu'il avait gardé dans sa main, lève la tête et son regard semble se perdre loin derrière moi. Je le laisse à son silence, à ses souvenirs lourds et sombres. La confrontation entre mon père et moi, qu'à une époque j'avais espérée, imaginée et évitée, s'est transformée en un long monologue douloureux. Je comprends pourquoi il s'est gelé avec l'alcool, les pilules, le *gambling* durant presque toute sa vie. Comment faire face à la douleur que tu as fait subir à ceux que tu aimes?

En même temps, je ne peux oublier ma propre douleur, les mauvais souvenirs, ces images de ma mère atrocement seule. Moi aussi, j'ai abandonné maman, moi aussi, j'ai fermé les yeux, moi aussi, je me suis enfui.

J'ai coupé les ponts avec ma mère quelque temps après sa fuite de la clinique de désintoxication *Betty Ford*, en Californie, où j'étais allé la reconduire. Elle avait accepté de se faire soigner à la condition que ce soit moi qui l'accompagne à l'autre bout du continent. «Maman se sent en sécurité avec toi, Jean-Marie. Comme t'as déjà pris soin de moi, que tu m'as déjà amené à *Chit-Chat*, elle te fait confiance...», m'avait dit papa, soulagé de la voir se prendre enfin en mains. Mais je sentais, lorsque je lui parlais au téléphone, qu'elle commençait à se dégonfler. Je l'encourageais du mieux que je pouvais: «Tu vas voir maman, tu vas être tellement bien après, tu vas te retrouver, retrouver ta famille.» Puis, pendant deux jours, je m'étais battu avec elle pour l'empêcher de se sauver de l'aéroport ou de l'hôtel où nous passions une nuit avant son admission à la clinique. Dans l'avion, j'avais saisi ses cartes de crédit qu'elle m'avait ensuite réclamées à grands cris, entre deux verres de vin. Elle s'était soûlée tout au long du voyage tant elle avait peur, tant elle souffrait physiquement et psychologiquement. De longues traces de larmes zébraient ses joues, son maquillage coulait, elle était pâle à faire peur. Comme je l'avais fait pour papa lorsque je l'avais reconduit à *Chit-Chat*, je ne l'avais pas empêchée de prendre un coup; c'était la seule façon de geler son angoisse. Mais c'était tellement dur de la regarder boire, de demander à l'agent de bord de remplir encore son verre...

J'aurais voulu être capable de lui parler avec douceur, la prendre dans mes bras, la rassurer, l'encourager, mais elle se rebellait, me menaçait de ne pas continuer le voyage, exigeait que je lui rende ses cartes. À la différence de papa qui, lorsqu'il prenait l'engagement de se rendre en cure, acceptait et assumait sa décision, maman, elle, se cabrait, résistait, faisait crise par-dessus crise. Je ressentais de la colère; j'étais impatient, découragé, et je m'en voulais de ne pas être plus compréhensif avec elle. J'avais l'impression de faire tout cela pour rien, que ce long voyage était inutile, et qu'en bout de ligne, elle ne saisirait pas la chance de s'en sortir. Après quelques heures passées avec elle dans l'avion, j'avais réalisé que je voulais la sauver plus qu'elle ne le désirait elle-même.

L'espoir m'était revenu à la réception de la clinique *Betty Ford*, lorsque j'avais vu apparaître des infirmières, un médecin et un thérapeute qui l'avaient immédiatement prise en charge. Enfin! enfin!, maman allait être soignée, désintoxiquée, écoutée, elle allait recevoir des outils pour s'en sortir et nous revenir. Juste avant de s'éloigner avec les infirmières, elle s'était tournée vers moi et, d'une voix cassante, froide, agressive, elle m'avait lancé: «Tu peux t'en aller, mon fils.» Je m'en foutais qu'elle soit en colère contre moi, du moment qu'elle acceptait de faire la cure.

À peine 48 heures plus tard, maman était de retour à Montréal. Malgré mes protestations, j'avais été obligé de laisser ses cartes de crédit à la réceptionniste de la clinique; légalement, maman avait le droit de quitter *Betty Ford* à n'importe quel moment et personne ne pouvait la retenir contre son gré.

Peu de temps après, elle m'avait téléphoné et, en larmes, m'avait demandé de venir la voir et de l'aider. Exaspéré, j'avais alors pris la décision de ne plus lui parler.

– Maman, tant que tu vas boire, tant que tu prendras pas les moyens de t'en sortir, j'veux plus te parler. J'veux plus que tu m'appelles.

Après un long silence, elle avait laissé tomber un lourd «Très bien, mon fils», et elle avait raccroché. C'est un sentiment atroce que de rejeter sa propre mère. Et ça a été un des derniers échanges significatifs que j'ai eus avec elle, jusqu'à ce que je la retrouve à l'hôpital, quelques jours avant sa mort.

J'ai ensuite projeté sur mon père la colère que j'étais incapable d'endosser; je l'ai rendu responsable de ma propre culpabilité et de la peine que j'éprouvais, pour ne pas avoir à les assumer. Il m'aurait fallu être le Jean-Marie que je suis aujourd'hui pour être capable d'aider maman à l'époque où elle avait besoin de moi. Je me reprocherai toute ma vie certains gestes que j'ai posés, ou que je n'ai *pas* posés. Mais, avec le peu d'outils que je possédais à ce moment-là, j'étais incapable d'en faire plus. Et en acceptant cela, je ne peux faire autrement qu'admettre que papa a, lui aussi, fait tout ce qu'il pouvait pour aider maman, avec les moyens dont il disposait alors.

Papa, qui s'est levé pour aller se faire un autre café dans la petite cuisine, revient s'asseoir à côté de moi. Il n'a pas dit un mot depuis plusieurs minutes. Seul le tintement de la cuillère qu'il fait tourner dans sa tasse de café accompagne son silence. Tout à coup, il lève vers moi ses yeux embués de larmes et sourit tristement.

– J'aurais tellement aimé que maman soit là, à ton mariage. Vous étiez tellement beaux ensemble, elle aurait été vraiment fière de toi... Pis j'aurais aimé ça vous aider, Josée et toi, vous donner un peu d'argent, vous offrir... je sais pas... votre voyage de noces, ou de l'argent pour acheter votre maison. Si j'avais pas perdu autant d'argent...

C'est la première fois qu'il reconnaît, devant moi, les conséquences de son problème de *gambling*. Je n'aurais osé aborder ce sujet qu'à reculons, avec des gants blancs. Il m'a si souvent envoyé promener par le passé lorsque je tentais de parler de son gambling que «chat échaudé craint l'eau froide»... Il est là à me fixer, attendant de voir ma réaction avant de poursuivre. Il a tellement peur que je le juge et que je le condamne. On ne le croirait jamais si insécure, à la merci de ce que peuvent penser de lui les gens de son entourage, tant son personnage d'ours un peu bourru lui colle à la peau. Mais le masque se morcelle de plus en plus...

Que lui dire qu'il ne sait déjà? Qu'il n'aurait pas à courir encore après des contrats à 63 ans s'il n'avait pas *gamblé* toute sa vie? Qu'à Paris, il abandonnait maman dans un minuscule appartement de deux pièces pour aller jouer au casino? Que sa façon de fuir la détresse de ma mère et ses propres démons lui avait coûté la peau des fesses? Qu'en plus de perdre de l'argent, il avait perdu les moyens de concrétiser la plupart de ses rêves?

Il y a plusieurs années, il nous avait réunis au salon, mes sœurs et moi, et nous avait demandé de choisir chacun, parmi sa superbe collection d'œuvres d'art, un grand tableau qu'il nous léguerait à sa mort. La valeur de ces toiles était telle qu'elles nous auraient assurées au moins cinq ans de rente si nous avions eu à les vendre. Il souhaitait aussi faire construire, sur le terrain de sa maison d'Austin, quatre petits chalets pour chacun de ses enfants, et créér pour nous un îlot de sécurité sur un site magnifique. Il avait toujours dit qu'il nous payerait toutes les études que nous pourrions vouloir faire, promesse qu'il n'a pas toujours pu tenir. Il s'était acheté une maison en Floride, espérant y passer sa retraite à jouer au golf et à s'amuser avec sa collection de timbres; mais il avait dû la revendre quelques années plus tard. Que lui reste-t-il de tous ces projets, de ces désirs, de ces rêves? Des images...

Et nous. Cécile, ses amis, sa famille, ses enfants. Ses *sept* enfants.

– Tu sais pas à quel point tu m'as fait plaisir quand tu m'as dit que tu voulais rencontrer tes demi-sœurs... Tu sais pas à quel point ça m'a rendu heureux, Jean-Marie... J'pouvais enfin imaginer qu'un jour, peut-être, tous mes enfants se connaîtraient et... et...

Il est incapable d'ajouter un mot, tout comme il était resté presque muet lorsqu'à l'été 1996, je lui avais dit vouloir connaître mes demi-sœurs. Je venais d'apprendre que mon émission de télévision *Écoute-moi* ne revenait pas en septembre et j'étais allé me changer les idées chez papa et Cécile, espérant trouver un certain réconfort auprès de lui, malgré les difficultés que nous éprouvions encore à nous parler à cette époque. Et, effectivement, il m'avait consolé, remonté le moral et encouragé à ne pas me laisser abattre: «J'suis pas inquiet pour toi, Jean-Marie, c'est parti tes affaires. Fais-moi confiance, y'a autre chose pour toi qui s'en vient, j'en suis sûr...». Ça m'avait fait tellement de bien de sentir la présence rassurante de mon père et de le deviner fier de moi.

Pendant un an, dans le cadre d'*Écoute-moi*, j'avais entendu toutes sortes de témoignages venant de jeunes qui avaient vécus des problèmes d'anorexie, de drogues, d'inceste, de violence, de suicide; j'avais aussi assisté à des retrouvailles entre parents et enfants. Ça m'avait mis encore plus en contact avec mes propres manques, mes peurs, mes insécurités. Et je m'étais mis à penser à ces demi-sœurs que je ne connaissais pas. Je savais que papa avait amorcé un certain rapprochement avec elles; après la mort de maman, elles lui avaient écrit une lettre très touchante, il les avait revues lors d'un souper chargé d'émotion, et il leur parlait au téléphone de temps en temps. Alors, un peu plus tard dans l'après-midi, soudainement, j'avais dit à papa que je désirais rencontrer mes sœurs. Papa m'avait regardé, étonné et touché, et m'avait suggéré de prendre contact avec Michelle. «Ouais, me semble que ça cliquerait entre vous deux, vous avez plusieurs points en commun pis tu vas voir, elle est très sympathique.» Cécile, assise à côté de lui, souriait discrètement; depuis des années, elle était la confidente de sa culpabilité concernant ses trois premières filles et des espoirs qu'il entretenait de réunir un jour ses enfants.

C'est particulier et en même temps émouvant, de rencontrer une femme que tu sais être ta sœur mais que tu ne connais absolument pas; de te reconnaître en elle, de faire des parallèles entre son passé et le tien, d'identifier des comportements semblables, des manières de voir les choses et même des façons presque identiques de parler ou de bouger... Et non seulement je me retrouvais, mais je reconnaissais aussi en Michelle Maryse, Catherine et Anne-Élizabeth. C'était fascinant. Tout était facile, chaleureux, sans animosité. Il aurait pu y avoir des tensions entre nous, elle aurait pu nourrir de la jalousie, de l'amertume et de la rancœur envers moi mais, au contraire, sa gentillesse, sa réceptivité, son charme m'avaient convaincu d'essayer de la mettre en contact avec mes trois sœurs.

Le lendemain de ma rencontre avec Michelle, j'avais appelé papa pour lui raconter ma soirée. Lui qui ne placote jamais au téléphone, me retenait au bout du fil pour en savoir plus: «Comment tu la trouves? Est-ce que vous vous êtes bien entendus? De quoi vous avez parlé? Elle est gentille, hein? Qu'est-ce que vous avez mangé?...» Excité, soulagé, il était si heureux que sa voix en tremblait. Un premier lien s'était tissé entre ses enfants, entre le passé et le présent. La glace était enfin brisée.

Quelques semaines plus tard, il m'avait fait part de ce qu'il désirait recevoir pour son anniversaire. «J'veux pas de cadeau pis en même temps, j'en veux tout un. J'aimerais ça avoir toute ma famille réunie le jour de ma fête. On pourrait tous se retrouver chez tante Cécile (sœur Joseph de Sainte-Agnès, sa sœur aînée), à la Maison des Petites Sœurs des Pauvres. Ça serait pas compliqué, on pourrait commander du poulet ou n'importe quoi. Du moment que tous mes enfants sont là. Ça serait vraiment le plus beau cadeau que vous puissiez me faire...»

Le 6 décembre 96, pour ses 61 ans, papa voyait pour la première fois de sa vie ses sept enfants – Danielle, Michelle, Marie-Josée, Maryse, Jean-Marie, Catherine et

Anne-Élizabeth – réunis autour de lui à une même table. Les deux Cécile, sa femme et sa sœur, assistaient, elles aussi, à ce moment unique. J'ai rarement vu mon père aussi bouleversé. Il avait beau tenter de retenir ses larmes, dès qu'il prenait le temps de nous observer à tour de rôle et de remarquer les ressemblances physiques ou les traits de caractère en commun, il se mettait à pleurer. Sa journée avait été longue et difficile; après plusieurs heures de discussion, il avait enfin autorisé sa comptable-fiscaliste à officialiser sa faillite personnelle. Il perdait à peu près tout: sa maison, les quelques œuvres d'art qu'il possédait encore, les biens matériels qu'il avait accumulés au fil des ans, le patrimoine familial qu'il espérait léguer à ses enfants… Son problème de *gambling* et ses échecs financiers lui sautaient en pleine face. Et de se retrouver devant tous ses enfants, le cœur gros, les mains vides…

– J'me sentais tellement coupable ce soir-là, Jean-Marie! J'vous avais enfin tous avec moi, j'aurais voulu vous gâter, vous donner à chacun un cadeau ou des sous pour que vous puissiez vous acheter un petit quelque chose qui vous aurait fait plaisir…

Toute sa vie, tant qu'il a eu de l'argent, papa ne s'est jamais gêné pour gâter les gens qu'il aimait: ma mère, mes trois sœurs et moi, ses copains, sa famille… Il dépannait des amis qui se trouvaient en mauvaise posture financière, il payait la traite à tout le monde, donnait des bonus à ses musiciens et ses techniciens à Noël… Il a même offert un chèque de 1000 $ à mon grand ami Sylvain, dont la famille en arrachait à cause de l'alcoolisme de son père; en 1979, 1000 $, c'était un bon montant d'argent. Papa avait posé ce geste parce que j'étais inquiet pour mon ami et probablement aussi parce qu'il reconnaissait en Sylvain les mêmes angoisses qui m'avaient assailli lorsque j'étais enfant. Combien de fois ai-je vu mon père parler au téléphone à un alcoolique en détresse puis, partir le rejoindre pour lui venir en aide... Il avait de l'argent, il en donnait. Et, tout d'un coup, il se retrouve sans le sou et il ne réalise pas qu'il peut démontrer son amour ou sa tendresse autrement que par des cadeaux.

– Tu peux pas savoir comment j'me sentais quand j'allais visiter mes filles. J'avais l'impression d'être le mononc' des États qui vient faire son tour, les bras chargés de jouets, pis j'repartais les bras et le cœur vides. Pis j'pouvais pas faire autrement que d'me soûler la gueule, ça faisait trop mal. J'avais beau leur donner une pension, leur donner des nouvelles de temps en temps, j'culpabilisais. Je les voyais pratiquement jamais, j'savais pas si elles aimaient leur école, si elles avaient des amies, des chums. Je les ai pas vues grandir... Quand leur mère m'a demandé de ne plus venir parce que ça les troublait pendant des jours, ça m'a brisé le cœur. J'étais leur père! J'aurais dû m'affirmer, insister pour avoir le droit de les voir. Et en plus, ça mettait ta mère à l'envers chaque fois qu'elle me voyait revenir à la maison. J'lui en ai voulu de m'avoir suggéré de ne plus les voir. Je la comprenais: elle protégeait sa propre famille – vous autres. Elle vous aurait donné la lune si elle avait pu. Mais ça me faisait mal pareil.

Il fait presque nuit et l'éclairage tamisé diffusé par la lampe à ses côtés creuse ses rides. Il prend une grande respiration et me dit une dernière fois:

– J'vas m'en vouloir toute ma vie...

Quand tu traînes un tel boulet de culpabilité derrière toi pendant plus de la moitié de ta vie, c'est difficile de t'en défaire, de te pardonner. De t'en donner le droit. Je le sais, ça m'a pris des années avant d'être capable de le faire moi-même. Et le poids que je traînais derrière moi était infiniment plus léger que celui de papa. J'ai beau le sentir soulagé, j'aimerais tant qu'il puisse vieillir un peu plus en paix avec lui-même. Mais il n'y a pas grand chose que je puisse faire. Sauf l'écouter, l'aider peut-être, à faire le deuil de ses échecs, lui tenir la main pendant qu'il confronte ses peurs, ses démons, ses remords. Parce que je l'aime.

Après plusieurs heures de confidences, papa me présente, graduellement, un sourire radieux, dégagé, rajeuni. Et la petite étincelle qui donne à ses yeux bleus une lueur si vive réapparaît tout doucement...

Je suis arrivé à Montebello dans l'espoir de comprendre mon père, de connaître les raisons des longs silences qui nous ont séparés si longtemps, d'obtenir des réponses. Je voulais nous entendre. Et nous nous sommes confiés des choses *inconfiables*. «Je peux tout te dire, Jean-Marie.»

Ce soir-là, papa m'a offert un cadeau inestimable: il s'est donné, entièrement. Avec des larmes, des éclats de rire, des confidences, des chuchotements complices; avec la confiance d'un enfant et la franchise d'un vieux sage.

CHAPITRE 8

Une chanson pour un ami
Ça ne fait pas beaucoup de bruit
Mais ça fait plaisir à celui
Pour qui l'on a écrit
Cette chanson à mots voilés
Qui dit qu'on l'aime sans le gêner
Que pour moi l'amour d'un ami
C'est un peu plus que l'amitié

Chanson brève
Lapointe-Lefebvre

– Pis? Pognes-tu quelque chose?

– Non, p'pa, j'ai pas de ligne!

– Voyons, va-tu falloir qu'on aille jusqu'à Toronto!

Nous devons avoir l'air de deux martiens débiles au volant d'un engin étrange et clignotant, prolongé par deux bras tenant le plus haut possible des téléphones cellulaires comme antennes paraboliques... Ça doit bien faire vingt minutes que nous nous promenons en pleine nuit sur la petite route de garnottes, à la recherche d'une réception quelconque... Après l'intense soirée que nous venons de vivre, papa et moi n'avons qu'une envie: appeler nos blondes. Alors nous sommes sortis du chalet en rigolant, émoustillés comme deux Roméo à la recherche de leur Juliette...

– Èye! Ça marche, p'pa!

– Passe-moi le cellulaire, j'veux téléphoner à Cécile!

– Non, c'est moi qui appelle Josée en premier!

– Non, c'est moi!

Hé! qu'on est bébés! Je rejoins Josée chez sa sœur Jeanne. Ma Fouf attendait mon appel, sachant que papa et moi allions nous parler ce soir... Je lui raconte les grandes lignes de notre longue conversation et je termine en lui confiant: «J'ai passé la plus belle soirée de ma vie avec papa! Notre relation est changée à jamais. On se regardera plus jamais de la même manière...» J'imagine la petite face de gamine de Fouf, son nez qui retrousse au-dessus d'un grand sourire éclatant tellement elle est heureuse pour moi, pour papa, pour Cécile, pour le voisin, le facteur, la madame du dépanneur, le laitier... Après que j'aie souhaité une bonne nuit et envoyé pleins de baisers à ma petite femme d'amour, papa prend mon cellulaire et appelle Cécile. Elle aussi espérait que le téléphone se mette à sonner pour se précipiter dessus et entendre la voix de son chum lui dire: «Tu peux pas savoir, Mamou, comment j'suis heureux ce soir...».

Mais les émotions, ça donne faim... Nous retournons au chalet; papa vide son pot de crème glacée à la vanille tandis que j'avale les derniers biscuits. Vers minuit, papa décide d'aller se coucher; il m'embrasse, me serre très fort dans ses bras et me fait une petite croix sur le front. «J't'aime, mon fils.»

Je lance un coup d'œil à la porte de ma chambre mais je n'ai absolument pas envie de dormir. J'ai besoin de décompresser, d'assimiler cette soirée dont je rêvais depuis si longtemps. Je vais faire un tour dehors pour prendre l'air, écouter le vent qui s'engouffre dans les branches et... pisser sur le gazon! Je sais, c'est pas très joli ni écologique, mais comme c'est papa qui me l'a montré... Un soir, alors qu'on revenait de Saint-Jérôme où papa avait donné un spectacle, il avait stationné sa voiture et s'était dirigé vers le côté de la maison. Je l'avais suivi, me demandant ce qu'il pouvait bien avoir envie de faire comme ça, derrière le saule pleureur, à minuit et demi... Ah! Il avait juste envie... «Pourquoi tu vas pas dans la maison, papa?» «C'est ben plus l'fun dehors, Jean-Marie! Mais dis-le pas à ta mère...» Il avait tout à fait raison! J'avais onze ans, je découvrais les joies de délimiter son territoire et, en plus, ça faisait de la musique! Ben oui! Un érable arrosé ne sonne pas du tout de la même façon que le gazon, l'asphalte ou un mur de pierres... Et chaque tronc d'arbre offre toute une gamme de résonances différentes et subtiles. Ce qui fait que depuis ce temps, j'aime me libérer en pleine nature... D'ailleurs, je pisse comme mon père, j'éternue, je tousse, je me mouche, je marche comme lui. Nous partageons même le fantasme le plus bizarre qui soit: tous les deux, nous sommes obsédés par l'idée de nous précipiter dans une allée d'église et de faire le fou! Je ne connais rien à la génétique mais comme comportement héréditaire, me semble que ça vaudrait la peine d'être étudié...

J'adore la noirceur épaisse de la nuit à la campagne; ça me permet de jouer à me faire des peurs... Oh! Derrière le gros arbre là-bas se cache un vampire qui va me sauter dessus pour boire tout mon sang! Un énorme monstre hideux et velu va soudainement émerger du lac pour venir me chatouiller! Une horde de vilains gnomes à longues queues fourchues, tapie sous la Mercedes, me guette en aiguisant couteaux et fourchettes... Grand-maman Lapointe n'avait pas son pareil pour chasser de sous mon lit les fantômes qui attendaient que je m'assoupisse pour m'emmener en enfer... Le samedi soir, après la partie de hockey que nous avions regardée ensemble en encourageant fanatiquement le Canadien, ma tête posée sur ses genoux, sa main jouant dans mes cheveux, j'envoyais grand-maman en éclaireur dans ma chambre... «Tu peux venir te coucher Jean-Marie, il n'y a pas de danger.» Je me faufilais entre mes draps, elle me donnait un bec sur la joue et je m'endormais, complètement rassuré. Elle était brave, grand-maman, elle n'avait peur de rien!

Je rentre au chalet, j'éteins les lumières et je m'étends sur le lit. J'ai l'impression d'avoir sept ans; je me sens en sécurité: mon papa dort dans la chambre à côté et ma maman me protège, où qu'elle soit. Ma petite maman... Elle s'installait souvent dans le cadre de porte du boudoir où nous regardions la télévision, papa et moi, et nous observait en silence. Puis, elle partait d'un grand éclat de rire: «Vous êtes pareils tous les deux!» Un soir que Michel Jasmin recevait papa à son émission *Jasmin centre-ville*, je m'étais présenté sur le plateau comme invité-surprise. Je jouais à l'époque un gros défenseur dans *Lance et compte*, je pesais plus de deux cents livres et j'avais l'air d'une armoire à glace pour géant obèse. Comme c'était ma première entrevue, j'étais un peu nerveux et j'avais une certaine difficulté à aligner trois mots intelligents de suite... Michel Jasmin, très gentil, me posait des questions toutes simples mais – rien à faire! – mon cerveau était resté dans la loge... À un moment donné, il souligne que ça ne doit pas être facile de porter le même nom que papa. Tiens, un sujet pas trop compliqué; j'vais essayer de dire quelque chose de cohérent. «Pendant des années, tout le monde m'appelait Jean et c'est mon père qui m'a suggéré de reprendre mon vrai nom, Jean-Marie, pour que le public fasse la différence. J'avais laissé tomber le «Marie» il y a très longtemps parce que Jean-*Marie*, ça faisait trop fifi!» Et papa, pas plus brillant, renchérit: «Entécas, il s'est pas fait traiter de fifi ben longtemps, avec les épaules qu'il a!» Fifi! À Michel Jasmin! Et deux fois plutôt qu'une! Non mais, ça se peut-tu? Pareils! Aussi niaiseux l'un que l'autre! Maman en a ri pendant des années; elle avait si souvent regardé l'enregistrement vidéo que la cassette était usée à la corde! Cinq jours avant sa mort, elle m'en parlait encore!

J'ai dû m'endormir sur cette image car je me réveille dimanche matin en pensant à maman, un sourire aux lèvres. J'écarte les rideaux, j'ouvre la fenêtre et une bouffée d'air frisquet entre dans la chambre, en même temps que trois rayons de soleil dans lesquels vient danser la poussière. Ça sent l'automne, la terre humide, le sous-bois endormi, le café frais... Le café frais? Je me dirige vers la cuisinette et j'aperçois papa, le nez plongé dans son journal presque déjà recyclé tellement il l'a manipulé... J'ai à peine le temps de lui demander s'il a passé une bonne nuit qu'il me remercie encore. Son visage est reposé, ses yeux sont lumineux; même sa camisole blanche a l'air détendue... Alors qu'il se lève pour aller se servir un autre café, je me glisse dans son dos et le serre très, très fort dans mes bras. J'aurais envie de le garder comme ça contre moi pendant des heures, pour rattraper le temps perdu...

Il est neuf heures et demie, nos valises sont bouclées, le ménage est fait, la vaisselle est propre, mais on n'est toujours pas partis parce que... papa cherche ses dents! Y aurait pas moyen de mettre une cloche après son dentier? Ou une sorte d'avertisseur qui répond quand tu lui siffles après? Nous fouillons partout – sous les draps, dans les sacs de déchets –, nous défaisons et refaisons les valises, mais ses dents demeurent introuvables. Alors, l'âme en peine et le dentier de secours dans la bouche, papa abandonne tout espoir de retrouver «mes belles dents» et met la clé dans la porte du chalet. Nous passons par la réception pour saluer Claude, à qui nous donnons un bon pourboire tant il nous a rendu la fin de semaine agréable, d'autant plus que nous rapportons à Montréal une dizaine de poissons fraîchement pêchés. Et nous voilà en route vers Montréal.

Nous n'avons pas allumé une seule fois la radio de tout le voyage tant nous avons encore plein de choses à nous dire. Rien de vraiment transcendant; simplement, des petites histoires qu'on se raconte entre vieux chums, des anecdotes, des remarques rigolotes, entrecoupées de brefs silences pour apprécier la présence de l'autre.

Je n'ai pas hâte de me séparer de lui. Nous aurions pu rouler pendant dix heures que je me serais tout de même écrié, en voyant l'échangeur Turcot: «Pas déjà?»... Nous passons devant l'hippodrome *Blue Bonnets* et papa ne peut s'empêcher d'éclater de rire.

– Tu vois *Blue Bonnets*? Ben, c'est le plus gros aquarium de Montréal!

– Hein?

– Ben oui, Jean-Marie, qu'est-ce qu'y a dans un aquarium?

Ah! Le royaume des pitons, des clignotants, des patentes que je pouvais tirer, pousser, tourner, allumer, éteindre, allumer, éteindre, allumer... Avec un téléphone mobile en plus! Encore aujourd'hui, je ne peux résister à l'envie de découvrir le potentiel d'un bouton qui se trouve à la portée de ma main. Que de système d'alarmes j'ai pu déclencher...

J'ai commencé à fréquenter *Blue Bonnets* dès l'âge de sept ans... Bon... bon... disons que j'ai fréquenté le *stationnement* de *Blue Bonnets* dès mon plus jeune âge... Comme je ne voyais pas papa la semaine et que j'étais encore trop jeune pour l'accompagner en tournée, je le suivais partout où il allait durant le week-end: au dépanneur pour acheter des cigarettes, chez grand-maman, chez des collectionneurs de timbres tous aussi bizarres les uns que les autres et... à *Blue Bonnets*. Un endroit où papa avait des amis, où il allait dire bonjour à ses chevaux et d'où il ressortait pas toujours très content... On se baladait en auto, on faisait quelques commissions et, soudainement, il se rappelait qu'il devait aller voir ses chums... Il garait sa voiture dans un grand stationnement et me disait qu'il allait être de retour dans quelques minutes. Je promettais d'être bien sage mais, dès que je le voyais s'engouffrer dans la «grande maison des chevaux», je me glissais sur le siège du conducteur et... tassez-vous! Jean-Marie est aux commandes! Encore une fois, papa avait oublié ses clés...

Hé! que j'avais du fun! Je mettais mes petites mains sur le volant, j'allumais tous les clignotants, la radio, et je fonçais sur une piste imaginaire. *Vroum*! J'étais le pilote le plus rapide au monde! Le roi des bolides, le Muhammad Ali des pistes de courses – je confonds un peu les genres mais c'est pas grave: Ali était mon héros et je suis sûr que s'il avait été pilote, il aurait été le champion. J'évitais les obstacles, je roulais à 300 km à l'heure; c'était encore plus excitant que les manèges du Parc Belmont. Je faisais semblant d'avoir une cigarette au bec et de téléphoner à maman: «Bonjour, ma bizoune, qu'est-ce qu'il y a pour souper? Savais-tu que Jean-Marie a eu 100 % dans toutes ses matières? Et qu'il est le meilleur gardien de but de toute l'école?» Et tant qu'à avoir le téléphone entre les mains, pourquoi ne pas en explorer toutes les possibilités? C'est fou, le nombre de boutons qu'il y a là-dessus!

Le temps passait sans que je m'en rende compte. Et lorsque, tout à coup, j'apercevais papa dans les rétroviseurs, je retournais à ma place comme si de rien n'était.

– Tu t'es pas trop ennuyé, mon Tit-homme?

– Non, papa.

– C'est bien. On va appeler maman pour lui dire qu'on arrive, O.K?

– Euh... avec ton téléphone?

– Ben oui, avec quoi d'autre? Voyons! Comment ça se fait que mon téléphone est tout *fucké* encore? As-tu joué avec?

– Moi? Non, papa...

– Ben, c'est moi qui a dû mal pitonner d'abord...

Une chance que papa n'a jamais été doué avec les boutons; ça me servait... Ce n'est que quelques années plus tard que j'ai compris ce qu'il allait faire à *Blue Bonnets*. Et, à lui voir la face, je savais toujours s'il avait gagné ou perdu, et si le retour à la maison allait être drôle ou *bennnnn* long... Parfois, maman me demandait de surveiller mon père et de lui faire un rapport sur le nombre de fois qu'il gageait; papa, lui, me demandait de ne pas lui dire s'il avait perdu... Je me retrouvais coincé entre les deux, mais jamais je n'aurais *stoolé* mon père. D'abord, c'est pas beau être *stool*, et puis je me doutais, bien qu'il ne m'en avait jamais menacé, que si je révélais quoi que ce soit à maman, il aurait cessé de m'amener avec lui. Et j'aimais tellement ça passer des heures à ne rien faire en sa compagnie... Alors, je me taisais devant la grande inquisitrice et, grâce à moi, mon père ne se faisait pas chicaner.

Il en a perdu de l'argent à *Blue Bonnets*, avec ses chevaux et ceux sur lesquels il pariait... Et c'était peut-être un peu irresponsable de me laisser seul dans la voiture mais maudit! qu'on a eu du fun! Pis qui est-ce que papa appelle quand son VHS est déprogrammé? Son Tit-homme!

De l'auto, j'appelle Josée pour lui dire que nous arrivons dans cinq minutes. Elle nous attend sur les marches du perron, ne tenant pas en place. Nous sortons de la voiture et pendant une fraction de seconde, je reconnais sur son visage la même tendresse, la même fierté que je pouvais lire parfois dans les yeux de maman lorsqu'elle posait son regard sur papa et sur moi. Ouf! Quelle fraction d'image! Ma blonde me saute au cou et m'embrasse longtemps. Elle sait tout le bonheur qui m'habite et devine, sans que j'aie besoin de dire un mot, la reconnaissance que j'éprouve pour sa douceur et son soutien; car c'est en grande partie grâce à elle que je suis si heureux aujourd'hui, que papa et moi, nous nous sommes rapprochés au-delà même de mes espérances. Puis, elle s'approche de papa, le prend dans ses bras et le garde longtemps contre elle. Mon père et ma petite Josée d'amour...

Comme papa a encore un bout de chemin à faire avant d'arriver chez lui, je sors mes valises de la voiture pendant qu'il va faire pipi – à l'intérieur... – et dire bonjour aux minous. En ressortant, avant qu'il monte dans sa Mercedes, il étampe une grosse bise sur la joue de Fouf, me donne une bonne poignée de main et la coquine en profite pour sortir l'appareil-photo! Certaines peuplades croient que la pellicule saisit l'âme des personnes photographiées; j'espère qu'à tout le moins, mon *kodak* a attrapé la complicité, l'affection, la générosité et l'amour qui nous unissent, papa et moi, et qui doivent transparaître dans nos sourires.

– Pis vous venez manger du poisson à la maison dans deux semaines, hein?

– Ben oui, papa, qu'est-ce que tu penses!

J'ai laissé tout le poisson dans son coffre d'auto, alors je sens qu'on va se faire inviter encore plusieurs fois... Tous les prétextes sont bons pour faire un détour par Magog!

Il s'installe au volant de sa voiture et juste avant qu'il parte, je me précipite vers lui et je le remercie encore une fois. «J't'aime, papa.» Et devinez quoi? Ben oui, il pleure encore!

CHAPITRE 9

Quand tu regardes en arrière, tu fais de la culpabilité et quand tu regardes en avant, tu fais de l'angoisse.
Alors, vis le moment présent.

Papa

LE TOFU

J'arrive à la maison, les bras chargés de sacs d'épicerie. Allo! le beau Nanou qui veut se faire flatter la bédaine... Bonjour! ma Chouchoune qui voit plus rien... Allez, suis ma voix; c'est ça, ma belle, viens que je te donne un gros bec. Je me suis attaché aux deux chats de Josée plus que je ne l'aurais pensé. Fouf ne rentrera pas avant plusieurs heures; sa clinique dentaire demeure ouverte tard, le mercredi soir. Je me dirige vers la cuisine pour me préparer un petit souper santé et... tiens, papa est toujours là. La porte de la chambre d'amis est fermée, pour empêcher la fumée de cigarettes de se répandre dans la maison, et j'entends un commentateur sportif décrire une partie de baseball.

Depuis quelques mois, papa habite chez moi lorsqu'il doit passer plus d'une journée à Montréal. C'est Josée qui le lui a proposé; je n'aurais pas osé lui imposer la présence de mon père, mais elle l'adore et papa le lui rend bien. On a équipé le frigo de crème glacée à la vanille, de lait homogénéisé, de café décaféiné, et il est assuré de trouver des biscuits *feuilles d'érable* dans une des armoires de la cuisine. Dans un coin de la salle de bain, on a fait de la place pour son shampooing pour «fond de tête qui pique», son porte-dentier jaune et son peigne à moitié pas de dents (il le fait exprès, c'est pas possible...). À sa demande, nous avons même acheté une sorte d'*aspirateur à boucane* qu'il tient absolument à rembourser.

– C'est toi, Jean-Marie?

– Oui, p'pa. Ça va?

– Oui, pas pire. Attends, je finis ma cigarette pis je viens te voir.

– Non, non, ça presse pas, regarde ton match...

– C'est correct, de toute façon, y perdent...

Ça m'étonne parfois de le voir se contenter de pas grand chose, lui qui a vécu dans le luxe et l'abondance. Il a rempli des centaines de théâtres pendant des années et aujourd'hui, il promène dans des petites salles intimes un spectacle de chansons et d'anecdotes, accompagné simplement d'un pianiste, et il en retire autant de satisfaction, étant plus proche du public. La vie l'a dépouillé de ses millions mais l'a aussi débarrassé de quelques bibittes, de pénibles souvenirs et d'une grande partie de sa culpabilité. L'un dans l'autre, je crois qu'il est plus heureux aujourd'hui qu'il ne l'a été pendant des années.

– Ça n'a pas d'allure, mal jouer de même! J'te dis que j'm'ennuie de Gary Carter...

Les Expos perdent mais papa n'a pas gagé. Pas parce qu'il ne gage pas sur eux, mais parce qu'il ne gage plus. Il achète bien des billets de loterie de temps en temps mais le gros *gambling*, c'est du passé. Il s'est fait, de lui-même, interdire du Casino, ne joue plus aux cartes des nuits entières caché dans une chambre d'hôtel anonyme et ne parie plus sur ses coups au golf parce qu'il était en train de perdre le simple plaisir de frapper des balles. Et peut-être aussi qu'il a réalisé qu'il n'était pas Greg Norman...

Il me rejoint dans la cuisine et échappe un regard dédaigneux sur le *snack* que je m'apprête à avaler.

– Tu manges encore tes affaires au futon, là?

– Au tofu, papa, au tofu...

– Ouais, ouais...

Les Expos perdent peut-être mais moi, je gagne une heure à rigoler avec mon père...

LE FILS DE...

Être le fils d'une personnalité publique, ça ouvre des portes et ça en ferme aussi parfois; j'ai été chanceux. Être le fils de Jean Lapointe, lui ressembler et vouloir faire à peu de choses près le même métier, c'est pas toujours une sinécure. Évidemment, ça m'a permis de rencontrer des personnes influentes dans le domaine du cinéma et de la télévision, qui m'ont donné une chance plus facilement qu'à d'autres débutants aussi talentueux. Mais j'ai dû travailler parfois deux fois plus fort pour prouver que je la méritais, cette porte ouverte, cette première chance; il m'a fallu trimer dur pour me faire un prénom.

Être le fils de Jean Lapointe m'a aussi ouvert l'esprit sur des aspects de la vie qui m'auraient peut-être échappé autrement. La douleur des gens, la compassion, la générosité; mais aussi, la beauté de la nature, de l'être humain, des arts. En plus de m'avoir fait grimper sur un banc de piano dès mon plus jeune âge, papa m'a initié aux arts visuels. Mes sœurs et moi avons hérité de la passion que papa voue à la peinture et lorsque j'en ai les moyens, un nouveau tableau vient orner un des murs de ma maison. Nous avons eu la chance de grandir entourés d'œuvres de Lemieux, Fortin, Dallaire, Pellan, Borduas, et de plusieurs autres artistes. Certains tableaux me plaisaient moins, d'autres me terrorisaient carrément (une huile de Normand Hudon, entre autres, représentant une énorme araignée noire et poilue qui me fixait *personnellement* de ses petits yeux rouges sang, m'a fait faire des cauchemars pendant des années...). C'est à mes parents et surtout à mon père que je dois la possibilité d'être bouleversé, enchanté ou remué par une œuvre d'art. Nous admirons particulièrement le travail de John F. Marok, un artiste dont papa a lancé la carrière il y plusieurs années, et qui obtient un grand succès en Europe. L'univers figuratif d'inspiration médiévale et surréaliste de Jaber Lutfi me fascine, la nature transformée en paysages abstraits de Jean-Marcel Dumontier me séduit, et je suis même sensible aux personnages étranges, difformes et inquiétants – un mélange de Giacometti et de Soutine – des tableaux de ma sœur Maryse; on est loin de *La nativité* de Lemieux! C'est dire à quel point j'ai l'esprit ouvert...

Être le fils de Jean Lapointe m'a finalement ouvert le cœur des gens très rapidement. Parce qu'ils aiment mon père, le respectent et connaissent sa sensibilité, ils ont décidé de me faire confiance et se révèlent à moi comme s'ils m'avaient toujours connu. Lorsque j'animais *Écoute-moi*, tant les invités que les spectateurs qui m'écrivaient ou laissaient des messages à la station me confiaient leur intimité, leur douleur, leurs secrets. Encore aujourd'hui, quand monsieur Picard, madame Lafleur ou Éric le livreur de journaux m'arrêtent dans la rue, s'adressent à moi avec gentillesse et me glissent en douce à l'oreille une confidence ou un chagrin, j'essaie, le plus possible, de les écouter avec mon cœur puis, si je le peux, de leur donner un coup de main. Je ne joue pas au bon samaritain: j'ai eu de l'aide quand j'en avais besoin, je tente aujourd'hui de rendre la pareille. La plus petite différence vaut cent fois mieux que l'indifférence.

Être le fils de Jean Lapointe... Merci papa d'être ce que tu es, ça m'a permis d'être qui je suis.

P.S. J'ai même déjà remercié mon père d'avoir été alcoolique... Coudon', j'étais-tu soûl?

LE FOUTU DENTIER

Après notre voyage de pêche, papa a cherché ses dents pendant des jours. Il a même téléphoné à la pourvoirie de Montebello pour demander si quelqu'un ne l'avait pas trouvé dans un fond de poubelle ou de casserole, ou 'avait pas pêché un poisson avec un drôle de sourire... Peut-être qu'un hurluberlu qui collectionne des objets appartenant à des vedettes se vante aujourd'hui d'avoir en sa possession les dents de Jean Lapointe... Bref, papa n'a jamais récupéré son dentier chéri et il a dû s'en faire fabriquer un autre.

À Pâques, j'avais invité ma famille à dîner et à participer à une chasse aux cocos très débile. Pendant que nous prenions le café, ma Fouf s'amène avec un petit cadeau pour papa. Étonné, il le déballe et – Ciel! – que voit-il, déposé dans un écrin en plastique? Son dentier! On lui aurait remis sa première guitare perdue depuis une éternité qu'il n'aurait pas été plus attendri.

– Mes dents! s'exclame-t-il, ému, mes dents! T'as retrouvé mes dents! Oh! qu'elles sont belles!

Je retiens mon fou rire. Franchement, se pâmer ainsi sur un dentier. Surtout que...

– Oh, mes dents que j'ai cherchées partout. Mes dents... Regarde, Cécile! (Il les regarde, les tourne entre ses doigts, les admire un instant et, brusquement, les jette sur la table.) Ben voyons, c'est pas mes dents, ça, câlisse!

Nous éclatons tous de rire. Maryse, son chum Robert, Catherine et Anne-Élizabeth étaient mes complices – on est vraiment tannants, en famille... C'est Josée qui avait déniché dans une confiserie cette magnifique attrape: une parfaite réplique d'un dentier en chocolat blanc et rose! Venant d'une dentiste, c'était un gag particulièrement savoureux... Je n'ai jamais vu la déception se peindre aussi rapidement sur un visage.! Mais ça n'a pas duré longtemps; papa s'est mis à rire à gorge déployée, gorge dont on pouvait apercevoir le fond puisqu'il avait ôté son dentier de rechange avant de manger... Joyeuses Pâques, papa!

LA PETITE MADONE

Quelques heures après la mort de maman, papa nous a conduits, mes trois sœurs, mon ancienne blonde Chantal, mon cousin Marc-Antoine et moi, vers une église de campagne abritant une petite madone, égarée dans la nature. Il allait la prier tous les jours depuis plusieurs semaines. L'air était cristallin et frais à cinq heures du matin; on entendait les oiseaux se réveiller, la rosée rehaussait l'odeur de l'herbe coupée la veille, les arbres nous isolaient de la route, comme pour nous protéger. Papa s'est agenouillé devant sa petite madone et lui a demandé d'accueillir maman. Nous l'avons regardé se relever maladroitement, tourner vers nous son visage défait et pourtant lumineux, puis il nous a embrassés l'un après l'autre.

Papa ne va jamais au cimetière où maman est enterrée. Il va plutôt porter des fleurs à sa petite madone qui veille sur la femme qu'il a aimée pendant trente ans. Qu'il aime encore...

La petite église de la madone est à vendre. Et papa rêve de l'acheter...

PHILIPPE

Si un jour j'ai un fils, je le nommerai Philippe, en souvenir du petit garçon que maman a perdu.

J'aurais tellement aimé avoir ce petit frère. J'aurais pu jouer au baseball avec lui, au hockey, aux courses d'autos sur ma piste électrique, aux *G.I. Joe*, au lieu d'être pogné à faire parler l'insignifiant *Ken* des *Barbies* de mes sœurs. On aurait triché à *Kerplunk*, à *Trouble*, je lui aurais appris à monter des modèles à coller d'avions ou d'hélicoptères; je lui aurais prêté mes Tintin, Astérix, Lucky Luke, Gaston Lagaffe, je lui aurais refilé mes anciens devoirs – corrigés par les professeurs, évidemment... Je lui aurais enseigné des trucs pour écœurer les filles puis, plus tard, pour les charmer... On aurait fait des balades en vélo, des tours dans *la pitoune* à la Ronde, des mauvais coups aux bonnes Sœurs et aux pauvres Frères, on aurait créé un *band* de rock alternatif avec un *look* qui aurait fait *flipper* maman et rire papa. On aurait partagé nos bonbons, nos photos de Farrah Fawcett, de Raquel Welch, de Bo Derek, nos *jokes* de *Newfie*, l'amour de Joséphine, nos vêtements, nos disques des Beatles, de Glenn Gould, Henry Mancini, Nazareth, Brubeck et Ricet Barrier, nos rêves... Je l'aurais aimé, ce petit frère.

Je souhaite vraiment avoir un petit Philippe; on va avoir du fun ensemble. Une voyante nous a prédit des jumeaux, alors Josée et moi, on met les bouchées doubles... Je veux connaître et partager avec elle les joies, les peines, les angoisses, la fierté d'avoir des enfants. J'espère être en mesure de leur donner autant d'amour que j'en ai reçu, d'établir avec eux une relation complice et sincère et aussi d'avoir le courage de reconnaître mes erreurs – on en fait tous – et de leur demander pardon. Papa n'a peut-être pas été le père qu'il aurait aimé être, mais il a dû faire une *pas pire job*, pour que je désire transmettre à mes enfants l'héritage qu'il m'a légué et leur offrir un grand-papa généreux, attachant, gâteau, farceur, raconteux d'histoires, tendre, attentionné pis, en plus, pas de dents! On va-tu rire!

LA 10

22 juin 1999. Je roule sur l'autoroute 10 dans ma petite décapotable bleu foncé. Maman avait une Mercedes sport décapotable qui me rendait malade. Je promettais n'importe quoi à maman pour qu'elle me passe ses clés, ce qui la faisait rigoler. Ma mère et moi, on tripait sur son char!

Donc, je roule *décapoté* sur la 10. Je pourrais décrire la sensation de liberté que provoque le vent dans mes cheveux, mais je me suis rasé la tête pour le fun et pour l'été, alors... En voyant ma boule, papa s'est écrié: «Wow! C'est pas mal *sharp* Jean-Marie!». C'est probablement ce qu'il aurait voulu me dire il y a une quinzaine d'années lorsque je m'étais pointé à la maison, le coco à l'air, mais maman était si catastrophée qu'il n'avait pas osé admirer mon magnifique scalp. Le lendemain, assis devant mes synthétiseurs, les écouteurs sur la tête, j'avais entendu l'écho d'un éclat de rire. J'avais jeté un coup d'œil par-dessus mon épaule et aperçu papa rigolant comme un fou. «Veux-tu ben me dire c'qui t'a passé par la tête?» «Un *clipper*, peut-être?» Maman, elle, avait pris pour un affront personnel ce qui n'était qu'un gag, un trip d'adolescent, et pendant des semaines, elle avait laissé traîner un peu partout dans la maison des vieilles perruques de spectacles de papa ou des casquettes... Ça, c'était maman tout craché!

Je reviens de Sherbrooke où je suis allé faire un peu de promotion pour mon émission de télévision. Tiens, parlant de l'ours, je vais l'appeler, pour rien, pour placoter... De mon cellulaire, je le rejoins sur le sien dans sa voiture; il se trouve lui aussi sur la 10 mais en sens inverse, regagnant Magog après avoir passé l'après-midi à enregistrer un numéro d'humour au Spectrum. «Salut, p'pa!» «Bonjour, mon Tit-homme! J'suis content que tu m'appelles! Comment ça va?» Depuis quelque temps, je remarque que sa voix est plus douce, plus détendue lorsqu'il me parle. Et, au lieu de raccrocher la ligne après deux minutes, il prend le temps de jaser, de s'informer de ma santé, de Fouf, de ce que je fais, des minous. D'ailleurs, il prend de plus en plus le temps, point. Ça me frappe tout à coup. Pendant des années, papa a été pressé, stressé, impatient, impulsif, brusque, courant après ce qui était à ses trousses, vivant *parqué en double*! À présent, il semble avoir remplacé le grand galop par un petit trot régulier et relax. Depuis le décès de Sam et la maladie d'oncle Gabriel, depuis que ma sœur Marie-Josée lui a donné un premier petit-fils, Olivier, on dirait qu'il a enfin compris que «Le temps fait oublier les douleurs, éteint les vengeances, apaise la colère et étouffe la haine; alors, le passé est comme s'il n'eût jamais existé». (Songé, hein? Mais c'est pas de moi, c'est une citation d'Avicenne, médecin arabe mort en 1037. Merci, Maryse...)

Il prend le temps, sauf lorsqu'il est au volant de sa puissante Mercedes...

– On devrait se croiser à cinq kilomètres à l'est de la sortie de Granby.

– C'est impossible, papa, j'suis pas loin d'Orford pis tu sors du pont Champlain!

– Pis?

Ben il avait raison, le p'tit vite!

BRUBECK

Juillet 1999. Dave Brubeck donne un spectacle au Saint-Denis, ce soir. Dès que j'ai su qu'il participait au Festival de jazz, je me suis précipité pour acheter les meilleurs billets disponibles. Pour papa et moi.

Brubeck, notre trait d'union, notre point en commun, notre *Band-Aid*, notre colle forte, à la fois réconciliateur, médiateur, confesseur... Même durant les années où nous ne savions plus comment nous parler, papa et moi, il nous suffisait d'entendre *Blue Rondo à la Turk* ou *Take Five* pour se retrouver complices le temps de quelques accords de piano. Lorsque j'avais dix ans, papa m'avait très patiemment enseigné note par note ce *Blue Rondo* qu'il avait appris à l'oreille, ne sachant pas lire la musique. Une partie des locaux du deuxième étage de l'école était réservée aux musiciens qui s'enfermaient dans de petits cubicules pour enfiler des séries de gammes plates, s'échiner sur des exercices techniques de doigté ou déchiffrer les terribles partitions de Bach. Moi, je me défonçais sur ce morceau de jazz qui me faisait tant triper. Je pratiquais pendant des heures les passages les plus difficiles pour épater papa, mes copains et les filles de sixième. Régulièrement, le long nez de la religieuse-surveillante se pointait dans le cadre de la porte, tel un radar pourchassant les vilains petits garçons qui ne pratiquaient pas leurs arpèges...

– Jean-Marie, est-ce que c'est ça qui est écrit sur la partition?

– Non, ma sœur, je fais juste me réchauffer les doigts...

Le nez se pinçait, la porte se refermait, je faisais quelques gammes puis, je me remettais à jouer de la *vraie* musique. Seule Sœur Violette Blais, mon professeur de piano, appréciait mon désir d'explorer d'autres avenues musicales, du moment que mon apprentissage plus conventionnel ne s'en ressentait pas.

Blue Rondo à la Turk, papa et moi l'avons interprété ensemble au téléthon et au spectacle *La fête à Jean Lapointe*; je l'ai joué lors de mon examen final à l'université, l'ai dédié à Josée le jour de notre mariage, bref, c'est devenu mon hymne national personnel.

Immédiatement après avoir acheté les billets pour le spectacle, je téléphone à papa pour qu'il réserve sa soirée de juillet. Je suis tellement excité à l'idée de lui offrir ce cadeau au caractère symbolique et sentimental que je ne prends même pas la peine de le faire languir...

– Papa, j'ai une surprise pour toi...

– Encore!

– Oui, pis c'est ben spécial. J'ai deux billets pour le *show* de Dave Brubeck...

– Ben... c'est gentil, mais... à part *Blue Rondo* pis *Take Five*, Brubeck, y m'ennuie en câlisse!

Une balloune qui se dégonfle... Une mongolfière qui s'effouère sur le sol... Mon rêve de p'tit gars qui veut faire plaisir à son papa en l'emmenant voir leur jazzman préféré s'écrapoutit en deux secondes... J'en reviens pas! Papa trouve plate notre musicien mythique, celui qui nous a réunis si souvent envers et contre tout! Mon système de valeurs vient de péter huit sur l'échelle de Richter, mon rêve a pris le bord comme la vache qui revole dans le film *Twister*; j'en perds mon latin, je ramasse ma mâchoire qui est tombée par terre, je... je... Qui suis-je? Où vais-je? Être ou ne pas être? Bon, ben coudon'. Va falloir que je m'en remette!

Mardi soir 6 juillet, 23 heures. Je suis au Théâtre Saint-Denis avec ma Fouf et nous tripons rare. Dave Brubeck amorce enfin, en rappel, les premières notes de *Blue Rondo à la Turk* et Christopher Brubeck le rejoint sur scène en jouant du trombone. Le père et le fils délirent ensemble, *jamment,* s'éclatent, nous en mettent plein les oreilles. À aucun moment ils ne se quittent des yeux; ils vibrent au même diapason, les deux doigts d'une même main... J'en ai la chair de poule. Je ferme les yeux quelques instants et je nous imagine, papa et moi, sur la scène... J'ouvre les yeux, ma Josée me prend la main et me regarde, émue. Elle me connaît si bien...

MAMAN

Ma mère. Marie. Maman. Elle était tellement belle. Une femme extraordinaire, unique, étonnante. Maman, qui nous a transmis, à mes sœurs et à moi, des valeurs solides: le respect, la générosité, la discipline, la persévérance – «Jean-Marie, quand on veut, on peut!« –, l'amour des animaux, de la musique, de la nature; maman, qui s'ingéniait à stimuler notre curiosité et notre désir d'apprendre, qui nous encourageait à poursuivre nos rêves, nous soutenait dans nos démarches artistiques, même si elle aurait préféré qu'on choisisse des carrières moins aléatoires; maman, malhabile face à ses émotions mais si perspicace et délicate face à celles des autres; maman, attentive, intuitive, qui voyait, entendait et devinait tout; maman, mère poule, mère courage, mère d'accueil, mère et monde; maman qui, malgré son mal de vivre, malgré ses silences, ses angoisses, ses peines secrètes, nous a tellement aimés qu'elle en a oublié de s'aimer elle-même. Ma petite maman d'amour.

Merci, papa. Merci de nous avoir donné maman...

SON PÈRE

Je ne sais pas si papa a eu avec son propre père une relation aussi intime que celle que nous partageons. Ont-ils assisté à des matches de hockey, de baseball, à des combats de boxe ensemble? Ont-ils eu la chance de faire de longues randonnées en voiture pendant lesquelles ils se confiaient leurs rêves, leurs ambitions, leurs secrets? Sont-ils allés voir des spectacles ensemble, ont-ils ri et applaudi de concert? Ont-ils caressé les oreilles d'un chien qu'ils aimaient et qui les unissait? Ont-ils admiré les mêmes peintres, musiciens, athlètes, acteurs, grands hommes d'État, de foi, de cœur? Ont-ils prié ensemble, chanté, pleuré?

Grand-papa Arthur a-t-il donné à son fils des conseils sur les femmes, la carrière, les enfants? Lui a-t-il montré à conduire une voiture, à faire confiance à son instinct, à ne pas avoir peur de foncer, de s'affirmer, d'aller au bout de ses rêves?

Ont-ils souffert à deux puis, chacun de leur côté et enfin, ont-ils pansé leurs blessures côte à côte?

Sont-ils allés à la pêche ensemble, l'un tirant sur la ligne, l'autre attrapant le poisson à l'épuisette? L'un montrant comment accrocher un ver à l'hameçon, l'autre levant le nez? Lui a-t-il enseigné à apprécier le silence? La saveur du petit matin qui s'éveille? La couleur de son propre reflet dans l'eau?

Son père a-t-il eu le temps d'être fier de lui, comme je sais que mon père est fier de moi?

DEMAIN MON FILS

Dimanche 14 mars 1999. Josée et moi sommes chez papa et Cécile depuis la veille. Nous explorions les environs de Magog à la recherche d'antiquités lorsque je me suis souvenu que j'avais acheté de papa quelques toiles du peintre John F. Marok, et qu'elles m'attendaient toujours dans l'entrée de leur condo. Nous nous étions donc arrêtés chez eux pour une heure ou deux et, vingt-quatre heures plus tard, nous étions toujours là. Papa et Cécile ont pris l'habitude de nous inviter à dormir dans la chambre d'amis chaque fois que nous passons leur dire bonjour. Pourquoi ne pas respecter une si charmante habitude? Et pour les remercier, nous leur avons payé la traite au St-Hubert BBQ – c'est ça qu'ils désiraient, un *ti-poulet*, que voulez-vous...

Le lendemain matin, ma Fouf et moi rejoignons Cécile dans la cuisine et nous sirotons nos cafés en riant de papa qui, assis devant la télé du salon, pitonne d'un poste à l'autre à la recherche d'un match quelconque. Mais qu'est-ce qu'il peut bien vouloir regarder à neuf heures du matin? Tiger Woods qui sort du lit? Patrick Roy qui prend sa douche? André Agassi qui mange ses *Honey Comb* avec sa raquette? Cécile me sert un café et m'annonce qu'elle a déniché dans les traîneries de mon père un «petit quelque chose» pour moi. Elle sort d'un sac un vieux 45 tours du temps des Jérolas, comme un magicien extirpe un petit lapin penaud d'un chapeau haut de forme. Je n'en reviens pas! C'est la toute première version de sa chanson *Demain mon fils*, que papa a écrite pour moi lorsque j'avais huit ans.

– Èye, papa, t'as gardé ça!

– Mmm? De quoi tu parles?

– Ben, du 45 tours de *Demain mon fils*...

– Hein? J'ai ça, moi?

Il lâche sa télé-commande et prend le 45 tours dans ses mains aussi délicatement qu'un paléontologue tiendrait un fossile rarissime. Sur son album *Face A, Face B*, sorti en 1977, il avait réenregistré cette chanson avec de nouveaux arrangements et depuis, il avait presque oublié qu'il en existait une première version datant du tout début des années 70. «Ça te tentes-tu de l'écouter, papa?». Il ne dit pas un mot mais acquiesce de la tête. Je dépose alors la relique sur un tourne-disque, pendant que papa se cale dans son fauteuil. Puis, je m'installe du bout des fesses sur le bord du divan à côté de lui et Josée demeure debout devant moi, un peu fébrile.

Le disque griche un peu; le son semble sortir tout droit d'un autre siècle. Piano, guitare sèche, batterie accompagnent sobrement la voix de mon père. Je ne me rappelle pas avoir entendu cette version auparavant; probablement qu'à l'époque, j'avais trouvé que ça ne *swingnait* pas fort, fort, – Coudon', c'est ben *slow* cette toune-là, j'me suis-tu trompé de vitesse? – et j'avais dû revirer le disque de bord pour écouter la chanson rigolote *Lefty Ding Ding Lapointe*. Mais ce qui m'avait échappé à l'époque me frappe aujourd'hui en plein cœur: vingt-cinq ans plus tôt, mon père m'avait chanté son amour...

J'observe mon père qui, le regard dans le vague, suit avec ses lèvres les paroles de la chanson comme s'il l'avait écrite la veille. Josée essaie de retenir ses larmes mais n'y parvient pas. Moi non plus, d'ailleurs... Papa, lui, ne bronche pas. C'est seulement lorsqu'il s'entend chanter: *Et seul comme un trop vieux spectateur, Voyant ton fils dans l'arène, Alors tu sauras ce qu'est la peur, Tu comprendras combien je t'aime...*, que les vannes s'ouvrent! Trois pleureuses italiennes qui se répandent sur le tapis! Cécile, qui s'était éclipsée quelques instants, nous rejoint au salon et nous regarde, émue, un peu coquine, comme une gamine qui a joué un bon tour...

Papa se secoue un peu, se mouche, s'allume une cigarette et se râcle la gorge.

– Maudit! que j'm'en viens mou en vieillissant; j'ramollis comme ça s'peut pas!

– Ça promet! Pis moi qui te ressemble de plus en plus, j'vais être beau rare à 60 ans!

Je me le souhaite...

DEMAIN MON FILS

Demain tu seras grand
Demain t'auras vingt ans
Demain tu pourras faire à ta guise
Partir vers les pays
Dont tu rêves aujourd'hui
Visiter tes châteaux en Espagne

Et seul comme un nouveau matador
Tu entreras dans l'arène
Ne craignant ni la peur ni la mort
Courant vers les années qui viennent

Demain tu seras grand
Demain t'auras le temps
Demain tu seras fort de ton âge
Les années passeront
Les rides sur ton front
Déjà auront creusé leurs sillages

Et seul comme un très grand matador
Tu sortiras de l'arène
Avec des coups au cœur et au corps
Marchant vers les années qui traînent

Demain tu seras vieux
Pourtant tu verras mieux
Tu te retourneras en arrière
Alors tu comprendras
Ce que je sais déjà
Tout comme le savait mon vieux père

Et seul comme un trop vieux spectateur
Voyant ton fils dans l'arène
Alors tu sauras ce qu'est la peur
Tu comprendras combien je t'aime

ÉPILOGUE

Je viens de passer des mois à penser à toi, papa, à te parler, à te rêver, à t'écrire. À rire et à pleurer avec toi dans ma tête. À te dire que tu m'as manqué à certains moments de ma vie, que j'ai eu mal, que j'ai eu peur, que j'ai été en colère ou en larmes. Mais qu'à d'autres moments, tu as été plus que présent: tu as été un père, un ami, un confident, une source d'inspiration, un modèle. Tu es le père que j'ai aimé avoir.

Je viens de passer des pages et des pages à te dire que je suis fier de toi papa, et que je t'aime.

ton fils Jean-Marie